Питайтесь правильно!

Владислав Владимирович Леонкин

Питайтесь правильно!

ПРИ ДИАБЕТЕ

Москва

2007

УДК 641/642
ББК 36.99
Л 47

Оформление *М. Медведь*

Публикуется с разрешения правообладателя:
Литературного агентства «Научная книга»

Леонкин В. В

Л 47   Питайтесь правильно при диабете. — М.: Эксмо,
2007. — 256 с.

ISBN 978-5-699-21004-6

Больные диабетом должны соблюдать очень строгую диету, чтобы избегать резких изменений уровня сахара в крови. Однако не нужно думать, что вы обречены придерживаться скучного и однооб- разного меню. В этой книге вам предлагается огромный выбор ре- цептов вкусных и полезных блюд, несложных в приготовлении и не противоречащих рекомендациям вашего врача. Они помогут вам не страдать от строгостей диеты и достаточно разнообразить свой стол. Кроме того, при помощи схем индивидуального расчета вы сможете самостоятельно подобрать подходящий для вас набор продуктов и составить адекватное меню.

УДК 641/642
ББК 36.99

ISBN 978-5-699-21004-6

Введение

Уважаемые читатели и читательницы! Всем, наверное, известно о существовании такой болезни, как сахарный диабет. Этим заболеванием страдают многие люди (как в молодом, так и в старшем возрасте). Эта книга написана в первую очередь для них и их близких. В ней много полезной информации. Я постарался в наиболее доступной форме рассказать вам о том, что же представляет собой сахарный диабет, каковы его причины, как он проявляется, как вовремя распознать признаки заболевания и что можно сделать для его предотвращения. В основной части книги я представляю вашему вниманию большое количество различных кулинарных рецептов, которыми можно пользоваться больным этим тяжелым заболеванием, чтобы максимально разнообразить меню. Кроме того, здесь вы узнаете, как самому подобрать нужный вам по калорийности набор продуктов и научиться составлять адекватную диету самостоятельно.

Глава 1

САХАРНЫЙ ДИАБЕТ

Прежде чем рассказать вам о диабете, я хочу познакомить вас с процессом выработки веществ, нужных для нормальной переработки и усвоения сахаров.

Основные из этих веществ называются «инсулин» и «глюкагон», они относятся к гормонам, вырабатываемым в поджелудочной железе.

Поджелудочная железа расположена около желудка, в надчревной области.

Инсулин

Первоначально этот гормон получили из поджелудочной железы собак, и было установлено, что он устраняет повышение уровня сахара в крови (гипергликемию) и появление сахара в моче (глюкозурию).

Инсулин человека и инсулин свиньи по своему составу наиболее схожи.

От уровня глюкозы в крови зависит выработка инсулина поджелудочной железой. Глюкоза, поступающая в кровь из кишечника, помогает выработке инсулина из клеток поджелудочной железы и, соответственно, повышению уровня инсулина в сыворотке крови по сравнению с тем же количеством глюкозы, но введенной внутривенно. Такая разница в появлении инсулина в крови в ответ на одинаковое количество глюкозы объясняется тем, что поступившая в кишечник глюкоза вызывает выработку инсулина, не только повышая ее уровень в крови, но и с помощью ферментов кишечника. Инсулин в организме разрушается быстро — за 3—5 мин. Распад инсулина в основном осуществляется в печени и почках.

Глюкагон

После открытия инсулина было выявлено, что в поджелудочной железе имеется вещество, которое также вызывает снижение глюкозы в крови, — глюкагон.

Было установлено, что глюкагон человеческий, свиной и глюкагон крупного рогатого скота имеют одинаковый состав.

Превращения и распад глюкагона происходят в печени и почках.

Глюкагон, который также вырабатывается в поджелудочной железе, попадает с кровью в печень, где увеличивает образование и выход из

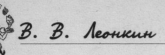

печени глюкозы. В тканях организма человека глюкагон вызывает распад жиров.

Разрушение глюкагона происходит в печени и почках.

Глюкагон вызывает повышение содержания глюкозы в крови и поддерживает ее уровень в пределах нормы. Его основная роль в организме заключается в регуляции выработки и выхода глюкозы из печени в кровь.

Таким образом, концентрация глюкозы в крови зависит в первую очередь от выработки инсулина и глюкагона. Во время голодания или ограничения приема пищи уже через 2 суток содержание глюкагона в крови увеличивается в 2 раза по сравнению с его концентрацией натощак.

Что такое сахарный диабет, его разновидности и как он проявляется

С греческого языка слово «диабет» переводится как «истечение», а «сахарный диабет» буквально значит «теряющий сахар». Это отражает основной признак заболевания — вывод из организма сахара вместе с мочой. Причина развития диабета и особенно его последующих осложнений остается во многом не установленной.

Основные признаки сахарного диабета — это повышенная утомляемость, постоянная жажда, обильное потребление жидкости и ее быстрое выведение из организма.

Однако на ранних стадиях диабет может не проявляться — его может выявить только врач, исследовав кровь на содержание сахара. В преддиабетическом состоянии, без проявлений болезни, находятся очень много людей. Длительное время уровень сахара у них не только в моче, но и крови чуть выше нормы. Большинство преддиабетиков через 10—15 лет уже страдают диабетом II типа (инсулинонезависимый диабет — ИНЗД).

При I типе диабета (инсулинозависимый диабет — ИЗД) поджелудочная железа производит недостаточно инсулина. Диабет II типа характеризуется тем, что выделение инсулина продолжается, но клетки плохо воспринимают его и перестают должным образом использовать. Инсулин не выполняет свою функцию, заключающуюся в расщеплении углеводов. Расщепление замедляется, и кровь недостаточно снабжается необходимым ей источником энергии — глюкозой.

Подводя итог, можно сказать, что сахарный диабет — это болезнь, для которой характерны гипергликемия (повышение глюкозы крови) как после еды, так и до приема пищи, глюкозурия (появление глюкозы в моче), причиной которых является недостаток инсулина в организме;

9

приводящий к нарушениям в обмене веществ. При этом поражаются кровеносные сосуды, нервная система и различные органы и ткани.

Сахарным диабетом болеют почти во всех странах мира. По данным ВОЗ, во всем мире около 150 млн. человек больны этим недугом. В России больных диабетом около 6—8 млн.

Ученые выделяют много различных видов и проявлений сахарного диабета и его осложнений. Но подробно я хочу остановиться на самых распространенных видах — на диабете I типа и диабете II типа.

Инсулинозависимым сахарным диабетом (ИЗД) болеют в любом возрасте, но чаще до 30 лет. Диабет I типа встречается обычно у детей и подростков, с чем и связано ранее употреблявшееся название «юношеский диабет». Однако заболеть могут люди любого возраста. Отличительной чертой является худоба. Как правило, отмечается быстрое появление признаков диабета в виде снижения содержания инсулина и повышения уровня глюкозы в крови. Для таких больных характерны резко положительные пробы на кетоновые тела в моче, а в крови повышается уровень сахара. Эти люди зависят от уколов инсулина, фактически поддерживающих больным жизнь. Инсулинозависимый диабет часто имеет наследственную природу, т. е. передается по наследству. Вызвать проявление наследственной предрасположенности к диабету могут различные инфекционные заболевания.

Инсулинонезависимым сахарным диабетом заболевают обычно люди старше 30 лет, имеющие избыточную массу тела (у них меньше проявлений сахарного диабета). Ацетон в моче может появляться у них только во время стресса. Хотя они и не нуждаются в уколах инсулина для выживания, он может требоваться им для контроля за уровнем сахара в крови. Фактором, способным вызвать развитие этого типа диабета, является переедание, приводящее к развитию ожирения, наблюдающегося у 80—90% больных, страдающих ИНЗД. В таблице 1 представлены различия диабета I и II типа.

Таблица 1

Основные различия диабета I и II типа

Признак	ИЗД (I тип)	ИНЗД (II тип)
Возраст к началу заболевания	Молодой, обычно до 30 лет	Старше 40 лет
Начало болезни	Острое	Постепенное (месяцы и годы)
Масса тела	Снижена	В большинстве случаев ожирение
Пол	Несколько чаще болеют мужчины	Чаще болеют женщины
Выраженность клинических симптомов	Резкая	Умеренная

11

Признак	ИЗД (I тип)	ИНЗД (II тип)
Течение диабета	Может быть различным	Постоянное
Анализ мочи	Наличие глюкозы и часто — ацетона	Обычно наличие глюкозы
Сезонность начала заболевания	Часто осенне-зимний период	Отсутствует
Состояние поджелудочной железы	Уменьшение количества клеток, вырабатывающих инсулин	Количество клеток, вырабатывающих инсулин, не изменено, в пределах возрастной нормы
Лимфоциты и другие клетки воспаления в железе	Присутствуют в первые недели заболевания	Обычно отсутствуют
Антитела к клеткам поджелудочной железы	Обнаруживаются почти во всех случаях в первые недели заболевания	Обычно отсутствуют
Частота диабета у родственников I-й степени родства	Меньше 10%	Более чем у 20%
Лечение	Диета, инсулин.	Диета, сахароснижающие препараты (реже инсулин)
Поздние осложнения	Преимущественно поражение мелких сосудов	Преимущественно поражение крупных сосудов

Коротко хочу познакомить вас с еще одной разновидностью сахарного диабета: это сахарный диабет, связанный с недостаточным питанием. Он встречается в тропических странах у молодых людей (до 30 лет). Это заболевание характеризуется образованием камней в протоке поджелудочной железы. Проявляется периодическими приступами болей в животе, резким похуданием. Требуется лечение инсулином. Причиной такого диабета является употребление тапиоки — крупы из маниоки.

Какие осложнения могут быть при сахарном диабете

Сахарный диабет опасен для жизни именно своими осложнениями, которые становятся причиной летального исхода, если вовремя не оказана помощь или лечение недостаточно. Среди осложнений различают острые, развивающиеся стремительно, даже при начале болезни, и поздние осложнения, появляющиеся постепенно, через несколько лет.

Среди острых осложнений диабета самым страшным является развитие комы, когда больные часто теряют сознание и нарушается работа жизненно важных органов: сердца, печени, почек и нервной системы. Кома может развиться при выраженном изменении кислотности крови, при нарушении соотношения воды и солей в организме, при сильном окислении крови и появлении в ней большого количества молочной кислоты, при резком падении уровня глюкозы в крови.

При поздних осложнениях диабета могут поражаться мелкие сосуды глаз и почек, при поражении крупных сосудов развиваются инфаркт миокарда, инсульт или гангрена ног, может страдать нервная система.

В развитии такого недуга, как сахарный диабет, как правило, выделяют три периода.

Период преддиабета бывает у людей, имеющих факторы риска развития диабета.

Период, когда усвоение глюкозы нарушается, но признаков болезни еще нет, называется периодом скрытого сахарного диабета.

К людям, у которых высок риск развития диабета II типа (ИНЗД), относятся однояйцевые близнецы от родителей, страдающих диабетом II типа (ИНЗД), мать, которая родила живого или мертвого ребенка с массой тела более 4,5 кг, и некоторые народы с высокой заболеваемостью диабетом (к примеру, американские индейцы).

ПРИЧИНЫ ДИАБЕТА
И ОСОБЕННОСТИ ЕГО РАЗВИТИЯ

Заболеваемость диабетом I типа зависит от времени года. Заболеваемость растет осенью и зимой, особенно в октябре и январе, в июне и июле заболеваемость диабетом снижается. Чаще всего заболевают сахарным диабетом дети 5 и 11 лет. Вероятно, это связано с действием различных вирусных инфекций. У человека развитие диабета I типа может быть вызвано некоторыми вирусными инфекциями, такими как паротит (свинка), цитомегалия, врожденная краснуха и вирусный гепатит (болезнь Боткина). Другие вирусные инфекции в развитии диабета фактически значения не имеют. Обычно между вирусной инфекцией и началом диабета проходит определенный срок.

Проведенные исследования показали, что **наиболее важна в возникновении этой болезни наследственная предрасположенность клеток поджелудочной железы к повреждению вирусами.**

Через 1—2 года после эпидемии паротита (свинки) может проявиться диабет у детей, а у некоторых болеющих паротитом иногда появляются нарушения обмена углеводов.

При наследственной предрасположенности к диабету решающую роль в его возникновении играют инфекции.

Существуют и другие причины, из-за которых заболевают сахарным диабетом:

1) лекарства и химикаты;

2) некоторые вещества, содержащиеся в пи-

щевых продуктах (это определенные белки говяжьего мяса, коровьего молока, различное копченое мясо, чаще всего баранина).

Эти вещества повреждают клетки поджелудочной железы, если на них развивается аллергия, и тогда потребность организма в инсулине увеличивается.

Инсулинозависимый диабет можно отнести к аутоиммунным заболеваниям (когда вырабатываются вещества (антитела), повреждающие клетки своего же организма). Об этом свидетельствует довольно частое сочетание ИЗД с другими аутоиммунными болезнями (например, такими как ревматизм), существование у больных с инсулинозависимым диабетом антител к антигенам клеток поджелудочной железы. Антитела к антигенам клеток поджелудочной железы выявляются в 100 раз чаще у больных ИЗД, чем у здоровых людей, и в 10 раз чаще, чем у больных ИНЗД.

Теперь перейдем к роли питания в развитии диабета. Избыточное питание и связанное с ним ожирение являются важными внешними факторами, повышающими риск развития ИНЗД. При инсулинонезависимом диабете у четырех из пяти больных наблюдается ожирение различной степени. Переедание приводит к повышенной выработке инсулина, рост уровня которого в крови приводит к уменьшению чувствительности организма к инсулину. Играет свою роль и наследственная предрасположенность к нарушению выработки инсулина. Кроме того, у таких больных всегда повышен аппетит.

Наследственная предрасположенность к инсулинозависимому диабету связана с определенными генами, а при инсулинонезависимом диабете такой связи нет.

ИЗД в зависимости от того, как он развивается, делится на два подтипа: аутоиммунный диабет и диабет, вызванный вирусами.

При аутоиммунном диабете на всем протяжении заболевания находят антитела к клеткам поджелудочной железы.

При диабете, вызванном вирусами, антитела исчезают в течение первого года.

В последнее время выделяют еще одну форму диабета — медленно развивающийся инсулинозависимый диабет с медленным ростом инсулиновой недостаточности. При этой форме ИЗД 1—3 года можно обойтись соблюдением диеты и применением сахароснижающих препаратов. Но потом все равно приходится прибегать к назначению уколов инсулина.

При ИЗД в конечном итоге развивается абсолютная инсулиновая недостаточность.

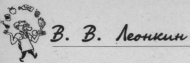

Проявления сахарного диабета

Диагностика явного диабета обычно не представляет трудностей. У больных появляются весьма характерные жалобы на выраженную сухость во рту, повышенный аппетит и постоянное чувство голода, выраженную жажду и, соответственно, потребление большого количества жидкости, частое и обильное мочеиспускание, похудание и снижение массы тела (при ИЗД), постоянную сонливость, непроходящую общую слабость, на частые инфекционные заболевания (фурункулы, воспаление десен и др.). Некоторых женщин в области наружных половых органов беспокоит зуд кожи, мужчин — воспаление крайней плоти. В анализах выявляются гипергликемия (повышение глюкозы крови) и глюкозурия (глюкоза в моче).

Причиной повышения сахара в крови является снижение усвоения глюкозы вследствие недостатка выработки инсулина или уменьшения его нормального действия в человеческом организме.

Повышенный уровень глюкозы в крови приводит к появлению сахара в моче. Это происходит потому, что полное обратное всасывание глюкозы в почках осуществляется при уровне глюкозы в крови не более 8,88 ммоль/л. Когда превышается эта концентрация, в моче появляется глюкоза. Это сопровождается повышенным мочеотделением, иногда достигающим 8—9 л в сутки (но обычно не более 3—4 л, при норме около 1,5 л).

Выраженная жажда и сухость во рту связаны, с одной стороны, с обезвоживанием организма вследствие чрезмерного выведения жидкости через почки, а с другой — с повышением содержания в крови глюкозы, мочевины и натрия. Для диабета характерно снижение функции слюнных желез.

Исхудание при инсулинозависимом диабете происходит из-за повышенного выделения глюкозы с мочой; при этом выводится глюкоза, поступившая с пищей и образовавшаяся в результате распада жиров и белков.

Вместе с гипергликемией при сахарном диабете происходят и другие нарушения обмена — такие, как повышение уровня жиров в крови, повышение уровня молочной кислоты, появление в крови ацетона.

Повышение уровня молочной кислоты в крови и повышение кислотности крови (гиперлактацидемия) связаны с избыточным поступлением молочной кислоты из мышц, почек, легких. Печень при диабете не справляется с таким количеством молочной кислоты.

Увеличение поступления жиров на переработку в печень приводит к увеличению образования ацетона и других вредных для организма веществ. Это состояние называется диабетическим кетоацидозом.

Нарушение усвоения глюкозы при отсутствии признаков болезни иногда не обнаруживается много лет. Проявления инсулинозависимого диабета развиваются обычно остро, быстро (особенно у молодых людей).

У больных с инсулинонезависимым диабетом недуг обычно начинается медленно и развивается несколько недель или месяцев. Часто впервые выявляется случайно, при обращении к врачу по поводу других болезней. Характерно, что некоторые больные замечают, что попавшие на обувь и одежду капли мочи, высыхая, оставляют белые пятна.

Бывает, что диабет выявляется, когда больные обращаются к врачу уже по поводу осложнений: с нарушениями зрения, катарактой, поражением кровеносных сосудов, с нарушениями работы почек.

По тяжести диабет подразделяют на легкий, средней тяжести и тяжелый.

При легкой степени диабета для нормализации содержания в крови сахара достаточно соблюдения диеты. Это возможно при инсулинонезависимом диабете.

При среднетяжелом диабете есть возможность добиться нормализации уровня сахара путем применения инсулина или использования сахароснижающих средств.

При тяжелом течении диабета обычно развиваются поздние осложнения, такие как микроангиопатия (поражение мелких кровеносных сосудов глаз, почек), нейропатия (поражение нервной системы).

Углеводный обмен при сахарном диабете может быть компенсированным, субкомпенсированным и декомпенсированным.

Компенсация — это такое состояние, когда под воздействием лечения нормализуется содержание глюкозы в крови и исчезает глюкоза из мочи.

При субкомпенсации отмечаются умеренное повышение содержания глюкозы в сыворотке крови (не более 13,9 ммоль/л), выделение глюкозы с мочой (не более 50 г в сутки) и отсутствие ацетона в крови.

При декомпенсации содержание глюкозы в сыворотке крови более 13,9 ммоль/л, а в моче превышает 50 г в сутки. Также отмечается появление ацетона в крови.

При диабете врачи выделяют такое понятие, как «инсулинрезистентность». Оно означает, что для достижения нормального действия инсулина (когда глюкоза крови в пределах нормы) не-

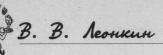
обходимы гораздо более высокие дозы инсулина, т. к. организм к определенному уровню инсулина привыкает.

В поджелудочной железе у здоровых людей вырабатывается 30—45 ЕД инсулина — количество, достаточное для полной нормализации углеводного обмена. Но у части больных диабетом для такой нормализации необходимы повышенные дозы инсулина.

Инсулинрезистентность имеет различные причины. Она может развиваться в связи с нарушением выработки инсулина, наличием гормонов, ослабляющих действие инсулина, нарушением чувствительности тканей и органов организма к действию инсулина.

Проявления осложнений сахарного диабета

Самые грозные осложнения сахарного диабета, наиболее часто приводящие к смерти, связаны с сердечно-сосудистой системой. Они могут проявляться в виде преимущественного поражения самого сердца (инфаркта миокарда) или кровеносных сосудов, как мелких, так и крупных.

Самыми частыми из поздних осложнений сахарного диабета являются сосудистые поражения, которые могут привести к инвалидности или смерти. Диабетические ангиопатии (поражения сосудов) затрагивают как крупные, так и средние сосуды (макроангиопатия), а также мелкие (микроангиопатия).

Крупные сосуды у больных диабетом страдают от атеросклероза — появления жировых бляшек на внутренней поверхности сосудов. Распространено замещение соединительной тканью внутренней поверхности кровеносных сосудов. Поражаются чаще всего коронарные, мозговые, почечные артерии и артерии верхних и нижних конечностей.

При отсутствии у больных диабета атеросклероз поражает только крупные сосуды (аорту, подвздошные артерии), а при диабете страдают и более мелкие артерии.

Нарушенное кровообращение в сосудах ног ведет к гангрене, в первую очередь поражающей большой палец стопы. Развивается сухая гангрена, для которой характерно отсутствие боли.

Диабетическая микроангиопатия

Диабетическая микроангиопатия (поражение мелких кровеносных сосудов) является причиной возникновения ретинопатии (поражения сосудов глаз) и нейропатии (поражения нервной системы).

Повышенный уровень глюкозы в сыворотке крови является основной причиной нарушений, лежащих в основе повреждения стенки сосудов. Гипергликемия вызывает повышенную проницаемость стенок сосудов и накопление белков в стенке сосудов, приводящих к сужению кровеносных сосудов.

Дополнительной причиной сосудистых изменений (особенно в крупных сосудах) при сахарном диабете является нарушение жирового обмена.

Поражение кровеносных сосудов сопутствует всем формам сахарного диабета.

Особенностью поражения сосудов при диабете является то, что у молодых людей (даже с длительно существующим диабетом) ангиопатии могут ограничиваться только поражением мелких кровеносных сосудов, а у больных старшего возраста поражения сосудов часто сочетаются с атеросклерозом. Особенно сильно при сахарном диабете страдают мелкие сосуды почек и сетчатки глаз.

Самым характерным проявлением диабетической ретинопатии являются микроаневризмы — цилиндрические выпячивания и расширения капиллярных стенок сосудов глаз.

Диабетическая нефропатия

В основе изменений при диабетической нефропатии лежит повреждение внутренней стенки почечных сосудов.

Начинающаяся нефропатия может развиться через 5 лет от начала заболевания, а чаще даже через 10—15 лет. Отмечается небольшое повышение уровня белка в моче. Артериальное давление имеет тенденцию к повышению, особенно при физической нагрузке.

Проявления нефропатии обнаруживаются у 30—40% больных ИЗД через 15—20 лет от начала заболевания. Растет содержание белка в моче — более 0,5 г в сутки, появляется постоянная артериальная гипертензия (повышение артериального давления выше обычного).

Первые стадии диабетической нефропатии могут в видимой форме не проявляться. Только в анализах мочи иногда отмечается небольшое повышение уровня белка. Очень часто, когда уровень белка в моче значительно повышается, это является признаком выраженного поражения почек (вплоть до развития почечной недостаточности).

Признаки диабетического поражения почек (нефропатии) зависят от типа диабета. При инсулинозависимом диабете первым признаком является появление белка в моче, количество которого вначале редко превышает 1 г/л; при этом нет отеков и артериальное давление не повышается. Но на этой стадии могут наблюдаться поражения сосудов глаз. Возникают и другие признаки, которые постоянно нарастают: содержание белка в моче доходит до 10 г/л, появляются отеки и стойкое повышение артериального давления. Часто при этом наблюдаются признаки нейропатии (нарушение кожной чувствительности, нечувствительность к боли, снижаются рефлексы).

При развитии хронической почечной недостаточности значительно снижаются уровень глюкозы крови (возникает гликемия), уровень глюкозы в моче (возникает глюкозурия) и потребность в инсулине. При инсулинонезависимом диабете обычно диабетическая нефропатия на протяжении многих лет проявляется небольшой или умеренно выраженной протеинурией (уровнем содержания белка в моче).

Сахарному диабету часто сопутствуют разнообразные воспалительные заболевания. В моче больных определяется бактериурия (наличие в моче большого количества бактерий). Это осложнение может протекать без проявлений или проявляется как пиелонефрит.

Инфекция в почках может привести к образованию абсцесса или карбункула почки, сопровождающемуся клинической картиной холецистита, аппендицита, панкреатита и т. д.

Диабетическая нейропатия

Диабетическая нейропатия является наиболее распространенным осложнением диабета. Обычно для диабета характерно поражение многих нервов. При этом могут поражаться черепные или крупные нервы рук и ног.

Наиболее часто нарушается чувствительность периферических нервов (конечностей, кожных нервов и т. д.). При такой форме нейропатии больные, как правило, жалуются на слабость и чувство тяжести в нижних конечностях и боли, чувство жжения, стреляющие боли, а также судороги в мышцах (чаще в икроножных мышцах голени). Снижаются все виды чувствительности: температурная, болевая, вибрационная. Чаще эти нарушения наблюдаются на стопах. Болевой синдром проявляется обычно по ночам в нижних конечностях.

Диабетические нарушения нервной системы могут сочетаться с местными болями. Затем болевая чувствительность может изменяться, снижаться или исчезать. Характерным для диабетического поражения нервов стопы является снижение болевой и температурной чувствительности, и поэтому больные иногда не замечают травм стоп, таких, как вросший ноготь и др.

Когда нарушается работа двигательных нервов, появляется слабость и уменьшается объем мышц предплечья, кисти, стопы.

Иногда возникают признаки нарушения чувствительных и двигательных нервов.

Очень часто страдают нервы, ответственные за движения глаз.

Множественные поражения нервов проявляются острой болью и снижением кожной чувствительности в отдельных областях тела. У больных отмечаются признаки, похожие на инфаркт миокарда, острый аппендицит, холецистит или язву желудка.

В основе разных нарушений со стороны сердечно-сосудистой системы лежит нарушение регуляции кровеносных сосудов.

Сердечно-сосудистая форма может протекать в виде ортостатической гипотонии (когда при изменении положения тела из горизонтального в вертикальное происходит падение артериального давления) и тахикардии покоя (учащение сердцебиения в покое), реже — кардиалгии (боли в области сердца).

Ортостатическая гипотония проявляется общей слабостью, обморочными состояниями, головокружениями, нарушением зрения и даже потерей сознания при быстром переходе из горизонтального в вертикальное положение. В связи с этим длительно болеющим диабетом рекомендуется после пробуждения несколько минут оставаться в постели, выполняя несколько активных движений. Ортостатическая гипотония может проявляться головной болью и резким снижением трудоспособности в утренние часы. Головная боль после перехода в горизонтальное положение уменьшается. Часто больному приходится обходиться без подушки, вплоть до принятия вынужденного положения (голова больного ниже туловища). Использование обезболивающих средств или препаратов, снижающих давление, эффекта не оказывает. Ортостатическая гипотония может быть усилена введением инсулина.

Желудочно-кишечная форма

Желудочно-кишечная форма поражения нервной системы может проявляться нарушением работы желудка, пищевода, желчного пузыря, поносами и болями в животе.

Возникает либо так называемая диабетическая диарея (понос), либо упорный запор. Часто они сочетаются с импотенцией, снижением то-

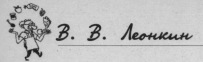

нуса мочевого пузыря, ортостатической гипотонией и повышенной потливостью.

При диабетической диарее стул учащается до 10—30 раз в сутки с большим объемом каловых масс, но потери массы тела, как правило, не наблюдается. Диабетическая диарея может продолжаться от нескольких часов до нескольких дней, потом может быстро прекратиться или под влиянием проводимой терапии перейти в запоры. При диабетических нарушениях со стороны желудочно-кишечного тракта больные худеют. Происходит растяжение желудка, а при задержке пищи часто возникает рвота.

Мочеполовая форма

Мочеполовая форма поражения нервной системы характеризуется снижением или отсутствием мышечного тонуса мочевого пузыря, импотенцией. Острая задержка мочеиспускания при сахарном диабете происходит вследствие снижения мышечного тонуса стенки мочевого пузыря, часто сопровождаемого восходящей инфекцией мочевыводящих путей. Неполное опорожнение мочевого пузыря приводит к застою мочи, расширению мочеточников и к гидронефрозу.

Проблема мужчин, страдающих сахарным

диабетом, — это импотенция. По различным данным, ею могут страдать до половины всех мужчин, болеющих диабетом. Импотенция развивается постепенно, в течение нескольких лет. Импотенция — это недостаточность эрекции, в основе которой лежит много факторов. Нарушается выработка половых гормонов (например, тестостерона). Кроме того, при сахарном диабете происходит изменение сосудов, питающих кавернозные тела.

Иногда нарушения нервной системы проявляются нарушением функции зрачка, бессимптомной гипогликемией (низким уровнем глюкозы в крови без каких-либо проявлений), нарушением потоотделения, терморегуляции, прогрессирующим истощением (диабетической кахексией).

При бессимптомной гипогликемии у больных сразу может развиться гипогликемическая кома без соответствующих предвестников. Жизнь больного находится в опасности из-за невозможности своевременной диагностики. Чаще всего такое течение гипогликемической комы наблюдается у больных с длительным некомпенсированным сахарным диабетом. У таких больных нет фазы предвестников, таких как тахикардия, потливость, чувство голода, повышенная раздражительность и немотивированное чувство злости.

31

Поздние осложнения сахарного диабета являются результатом действия многочисленных факторов, среди которых наиболее важное значение имеет хроническая гипергликемия.

Хроническая (т. е. длительная и постоянная) недостаточность инсулина и гипергликемия оказывают деструктивное влияние на нервную систему. Выраженное поражение нервной системы чаще встречается у больных с плохо контролируемым диабетом.

Продолжительная компенсация сахарного диабета улучшает состояние больного при поражении нервной системы (нейропатий) и способствует резкому уменьшению частоты этих осложнений.

Диабетическая нейропатия является, по-видимому, следствием прежде всего обменных нарушений в периферических нервах.

Существует много различных гипотез, объясняющих механизм развития диабетической нейропатии.

По некоторым данным, развитию нейропатии способствует недостаточность витаминов группы В.

Как известно, нервная ткань относится к инсулинонезависимым тканям и использует для своей функции почти исключительно энергию, высвобождаемую при окислении углеводов.

При сахарном диабете отмечается высокая потребность в витаминах группы В и С. У больных диабетом всегда наблюдается снижение содержания тиамина и витамина С в сыворотке крови. Недостаточность указанных витаминов вызывает не только нарушение усвоения углеводов в нервных тканях, но и продуктов неполного распада жиров.

Особое значение имеет и наличие антител к инсулину, которые могут стать причиной недостаточности фактора роста нервов.

У больных, страдающих диабетом, могут выявляться изменения со стороны желудочно-кишечного тракта: хронический гастрит, энтероколит, колит, в развитии которых определенная роль отводится поражению мелких кровеносных сосудов, нервной системы и аутоиммунным процессам.

В патологический процесс вовлекается печень — один из центральных органов обмена веществ. Накопление в ней жира проявляется увеличением печени. В дальнейшем развивается цирроз печени, и нарушение ее функции приводит к снижению уровня гипергликемии, что связано со снижением разрушения инсулина в печени. Очень часто у больных диабетом образуются камни в желчном пузыре.

ПРОФИЛАКТИКА САХАРНОГО ДИАБЕТА

Главным фактором риска развития сахарного диабета II типа является избыточный вес. Самый тревожный сигнал — это когда талия начинает расплываться.

Жир, который скапливается в брюшной полости, начинает расщепляться на жирные кислоты, быстро проникающие в кровь и препятствующие действию инсулина. Людям с избыточным весом достаточно сбросить 7—8% своего веса, чтобы риск нарушения обмена веществ снизился. Для этого достаточно уменьшить в своем рационе продукты, содержащие легкоусвояемые углеводы (пирожные, торты, булочки), и перейти на богатые клетчаткой орехи, бобы, овощи, фрукты, хлеб из муки грубого помола. Это объясняется тем, что клетчатка (дневная норма 30—35 г) активизирует работу инсулина, предупреждая развитие диабета II типа.

Однако совсем без потребления жиров питание не будет полноценным. Можно перейти на потребление жиров (не менее 25 г в день), содержащихся в морепродуктах и растительных маслах.

Проведенные исследования показали, что активный образ жизни в значительной степени убыстряет обмен веществ. Быстрой ходьбе или бегу надо посвящать хотя бы 30—40 мин в день 5 раз в неделю, тогда вероятность развития диабета снизится на 40%. Давая нагрузку мускулатуре, мы добиваемся активного расходования поступающего из крови сахара, который является топливом для работы мышечных тканей. Данный процесс «съедает» глюкозу, и ее уровень снижается. Кроме того, занятия спортом делают вас стройнее и привлекательнее.

Медики даже утверждают, что регулярные занятия танцами ощутимо снижают концентрацию глюкозы в крови у больных сахарным диабетом. Танцевальные движения оказывают благотворное действие и на нервную систему, что особенно важно в связи с новым открытием: сахарный диабет часто начинает прогрессировать на фоне депрессивных состояний, так как в состоянии депрессии больные не уделяют должного внимания развитию своего заболевания. Они перестают следить за своим здоровьем, в частности, проверять уровень глюкозы в крови, и перестают делать регулярные инъекции инсулина.

ОБЩИЕ ПРАВИЛА ПИТАНИЯ ПРИ САХАРНОМ ДИАБЕТЕ

При сахарном диабете, ревматических, кожных и некоторых других болезнях, сопровождающихся нарушениями нервной системы, рекомендуется соблюдать специальную диету. Здесь мы приводим стандартную основную диету, используемую в официальной медицине и лежащую в основе питания больных, находящихся на лечении по поводу сахарного диабета. Это диета № 9. Она предназначена для нормализации углеводного обмена и вместе с тем облегчения работы ослабленной поджелудочной железы.

Лечебные диеты № 9; 9а

Показания: сахарный диабет при отсутствии ацидоза и сопутствующих заболеваний внутренних органов.

Общая характеристика: диета с содержанием белков выше физиологической нормы, умеренным ограничением жиров и углеводов, легкоусвояемые углеводы исключены. В диету вводят вещества, оказывающие липотропное действие; пища содержит довольно много овощей; ограничивают соль и продукты, богатые холестерином.

Кулинарная обработка: всю пищу готовят, в основном, в отварном и запеченном виде. Энергетическая ценность: 2300 ккал.

Состав: белков 100 г, жиров 70—80 г, углеводов 300 г, поваренной соли 12 г, свободной жидкости до 1,5—2 л.

Масса суточного рациона — до 3 кг.

Режим питания: прием пищи 6 раз в сутки; углеводы распределены на весь день; сразу после укола инсулина и через 2—2,5 ч больной должен получать пищу, содержащую углеводы.

Температура пищи: обычная.

Обычно не ограничивают употребление капусты, листового салата, кабачков, огурцов, помидоров, а также репы и свеклы. Сахар заменяют фруктозой, сорбитом, ксилитом (вместо 1 г сахара — 0,002 г сахарина).

Технология приготовления пищи: обычная. Солят, как обычно.

Прием пищи: 5—6 раз в сутки.

Ограничивают: употребление моркови, растительных продуктов, содержащих избыток крахмала (картофеля, хлеба, моркови, круп), бананов, меда, а также жиров.

Запрещаются: конфеты, шоколад и кондитерские изделия, сдоба, варенье, мороженое, сладости, сахар, бараний и свиной жир, острые, пряные, копченые закуски и блюда, черный перец, горчица, алкогольные напитки, изюм, виноград.

Рекомендации при соблюдении диеты

1. Есть следует в одно и то же время в течение дня, не менее 4 раз в день, равномерно распределяя приемы пищи.

2. Нельзя пропускать основные приемы пищи.

3. Необходимо делать инъекции инсулина, принимать сахароснижающие препараты примерно в одно и то же время ежедневно.

4. Нужно чем-нибудь как можно скорее перекусить (съесть 1 кусок хлеба, фрукт, выпить стакан сока, молока), затем как можно скорее поесть, если вы делаете инъекции инсулина, а время приема пищи откладывается больше чем на 1 ч.

5. Пища должна быть богата клетчаткой (волокнами). Она содержится в хлебе грубого помола, зерновых хлопьях, крекерах, фасоли, горохе, чечевице, бобовых культурах, рисе, овсе, гречке, ячмене, фруктах, овощах.

6. Необходимо забыть о продуктах с высоким содержанием сахара. Таких как торты, пирожные, мороженое, варенье, повидло, джем, желе, шоколад, сироп, сладкие напитки, соки.

7. Употреблять как можно меньше жирных продуктов; таких как колбасы, жирное мясо, жареные блюда, животное масло, маргарин, сало, сливки, сметана, майонез.

8. Избегать употребления повышенного количества соли.

9. Стараться, чтобы рацион включал здоровую пищу (избегать консервов, жареной, острой, копченой пищи).

10. По возможности исключить алкоголь.

11. Ежедневно есть овощи.

12. Выпивать достаточное количество жидкости.

Больному диабетом крайне важно знать, какое количество углеводов попало в организм с пищей, так как на основании этого рассчитывается доза инсулина (или сахаропонижающих препаратов).

Энергетическая ценность пищевого рациона больных диабетом складывается из расчета: углеводов — 50—60%, жиров — 15—20%, белка — 20—25%, что существенно не отличается от обычной диеты, тем самым соответствуя полноценному составу пищевых ингредиентов.

В качестве примера можно привести состав диеты на 2400 ккал. При нормальной массе тела общая энергетическая ценность пищи должна составлять:

1) в состоянии покоя — 20 ккал/кг;
2) при легкой физической нагрузке — 30 ккал/кг;
3) при физической работе средней тяжести — 40 ккал/кг;
4) при тяжелом физическом труде — 45 ккал/кг.

Исходя из указанной потребности, можно рассчитать индивидуальную ценность диеты. Например: больному ростом 180 см и весом 81 кг (нормальная масса тела 80 кг), не занятому физической работой, следует назначить 2400 ккал (из расчета 30 ккал x 80 кг), при нагрузке средней тяжести — 3200 ккал (из расчета 40 ккал x 80 кг) и т. д.

При несоответствии массы тела больного средним величинам нужна коррекция диеты. Для больных с ожирением II—III степеней рекомендуется снизить калорийность, рассчитанную на идеальную массу, на 20—30%.

У больных с дефицитом веса суточную калорийность рациона необходимо увеличить на 10—15%.

Для учета усваиваемых углеводов пользуются таким понятием, как «хлебная единица» (ХЕ). Принято считать, что на 1 ХЕ приходится 10—12 г углеводов, что соответствует 48 ккал. 1 ХЕ содержится в 25 г ржаного или в 20 г пшеничного хлеба. Зная количество ХЕ, которые будут съедены, можно определить, насколько повысится сахар в крови, что дает возможность правильно вводить инсулин. ХЕ отмеряются ложками, стаканами, чашками.

За один прием пищи (завтрак, обед или ужин) на одну инъекцию инсулина рекомендуется съедать не более 7 ХЕ. Между двумя приемами пищи можно съесть 1 ХЕ, не подкалывая инсулин (при условии, что сахар в крови в норме, и при постоянном его контроле). 1 ХЕ на свое усвоение требует приблизительно 1,5—4 ЕД инсулина. Эта потребность индивидуальна, она определяется только при помощи постоянного контроля за уровнем сахара в крови.

Далее представляю вашему вниманию приблизительное количество хлебных единиц в различных продуктах.

В следующих продуктах содержится 1 ХЕ

Молоко, кефир, сливки любой жирности	1 стакан (250 мл)
Творожная масса	100 г
Сырники	1 средний (85 г)
Мороженое	65 г
Хлеб, булки любые (кроме сдобных)	1 кусок (25 г)
Крупа любая	
Сырая	1 ст. л. горкой (15—20 г)
Вареная	1 ст. л. горкой (50 г)
Вермишель, лапша, рожки	1,5 ст. л. (15 г)
Мука любая	1 ст. л. горкой (15 г)
Сахар	
Песок	1 ст. л.
Кусковой	2,5 куска (12 г)
Панировочные сухари	1 ст. л. (15 г)
Крахмал	1 ст. л. (15 г)
Сухари	20 г
Крекеры	3 крупных (20 г)
Тесто сырое	
Соленое	35 г
Дрожжевое	25 г
Блины	1 большой
Оладьи	1 средняя
Пельмени	4 штуки
Пирожок с мясом	менее полштуки
Картофель	
Пюре	1 ст. л. горкой
Жареный	1,5—2 ст. л. (40 г)
Сухой	25 г
Котлета	1 средняя
Кукуруза	0,5 крупной (160 г)
Абрикос	3 средних
Ананас	1 ломтик (90 г)
Апельсин	1 средний (170 г)
Арбуз	400 г с кожурой
Банан	0,5 крупного (90 г с кожурой)
Вишня	15 крупных (100 г)
Груша	1 маленькая (90 г)
Гранат	1 крупный (200 г)
Дыня «колхозница»	300 с кожурой

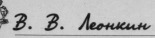

Земляника, ежевика, черника, малина, смородина	10 средних (160 г)
Крыжовник, брусника	1 чашка (140—160 г)
Клубника	3 мелких (170 г)
Мандарины	80 г
Манго	1 средний (120 г)
Персик	3—4 средние (100 г)
Сливы синие	2—3 средние (80 г)
Сливы красные	2—3 средние (80 г)
Хурма	1 средняя (80 г)
Яблоко	1 среднее (80 г)
Сок грейпфрута	0,5 стакана (130 мл)
Сок апельсиновый	0,5 стакана (100 мл)

Первый завтрак в 7.00 —
калорийность должна составить 25% от суточной.

Второй завтрак в 10.15—10.30 —
калорийность 15% от суточной.

Обед в 13.15—13.40 —
калорийность 30—35% от суточной.

Ужин в 19.15—19.30 —
калорийность 10—20 % от суточной.

При необходимости можно ввести пятый прием пищи — в 22.00 с калорийностью 5% от суточной.

Примерный суточный набор продуктов на 1652 ккал

1-й завтрак
Хлеб ржаной 25 г (1 кусок)
Молоко 200 г (1 стакан)
Масло сливочное 10 г
Яблоко средней величины, или половина апельсина, или 1 стакан малины
Итого: 376 ккал

2-й завтрак
Хлеб ржаной 25 г (1 кусок)
Колбаса нежирная 25 г (1 ломтик)
Сыр нежирный 25 г (1 ломтик)
Стакан чая без сахара или стакан отвара фруктов
Итого: 240 ккал

Обед
Рис 3 ст. л. (45 г)
Телятина 125 г
Капуста цветная или салат 150 г
Масло сливочное 1 дес. л. (10 г)
или 1 ст. л. сметаны
1 яблоко или 1 груша (200 г)
Отвар шиповника или 1 стакан компота без сахара
Итого: 667 ккал

Ужин
Хлеб ржаной 1 кусок (25 г)
Творог нежирный 2 ст. л. (50 г)
Сок морковный 0,5 стакана
Итого: 170 ккал

Какие овощи и фрукты можно принимать больным сахарным диабетом

Без ограничения можно принимать продукты, в 100 г которых содержится менее 5 г углеводов.

К этим продуктам относятся: баклажаны, брусника, гранат, калина, ежевика, зелень, кабачки, капуста белокочанная, кизил, клюква, крыжовник, огурцы, помидоры, редис, рябина красная, рябина черноплодная, терн, тыква, яблоки несладкие.

В количестве не более 200 г можно употреблять следующие овощи и фрукты: груши, капусту цветную, картофель, клубнику, малину, морковь, свеклу, смородину, цитрусовые.

Больному диабетом не рекомендуются абрикосы, виноград, дыни, инжир, персики, сливы, хурма, черешня.

ГЛИКЕМИЧЕСКИЙ ИНДЕКС

Кроме хлебных единиц, для регуляции подбора необходимых продуктов используется такое понятие, как «гликемический индекс».

Гликемический индекс (ГИ) — это показатель, характеризующий способность пищи повышать уровень сахара в крови.

Продукты с высоким гликемическим индексом обеспечивают быстрое повышение уровня сахара в крови. Они легко перевариваются и усваиваются организмом. Продукты с низким гликемическим индексом медленнее поднимают уровень сахара в крови, потому что углеводы, содержащиеся в этих продуктах, не сразу усваиваются.

Таким образом, гликемический индекс показывает, с какой скоростью данный продукт превращается в глюкозу и попадает в кровь.

За точку отсчета (ГИ = 100) в некоторых случаях берется белый хлеб, а в некоторых — глюкоза. Относительно этих величин и рассчитывается ГИ всех остальных продуктов.

Данные в таблице усредненные, так как разные способы обработки по-разному влияют на гликемический индекс продукта.

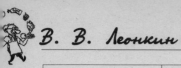

В. В. Леонкин

Продукт	ГИ относительно белого хлеба	ГИ относительно глюкозы
Мальтоза	150	105
Глюкоза	143	100
Воздушный рис	132	94
Мед	125	88
Картофель печеный	121	85
Кукурузные хлопья	115	80
Карамель	114	80
Картофель фри	107	75
Хлебцы пшеничные	107	75
Пшеничные хлопья	105	73
Арбуз	103	71
Овсяные хлопья	100	70
Хлеб белый	100	70
Пшеничная мука (высший сорт)	99	70
Белый рис	98	70
Просо	98	70
Кукуруза	98	70
Картофельное пюре	98	70
Изюм	96	67
Сухофрукты	95	67
Пепси, кола и подобные напитки		67
Манная каша	94	66
Свекла	93	65
Хлеб ржаной	90	63
Овсянка	87	61

Продукт	ГИ относительно белого хлеба	ГИ относительно глюкозы
Гамбургер	87	95
Макароны	85	60
Рис	83	58
Бананы	82	57
Картофель вареный	80	56
Манго	80	56
Попкорн	79	55
Рис коричневый	79	55
Овсяное печенье	79	55
Овсяные отруби	78	55
Гречневая крупа	78	55
Фасоль консервированная	74	52
Ячменные хлопья	72	50
Манго, киви	72	50
Хлеб из муки грубого помола с отрубями	71	50
Грейпфрутовый сок	69	49
Рис отварной	68	47
Хлеб с отрубями	68	47
Горошек зеленый	67	47
Виноград	66	46
Пиво, квас	64	45
Абрикосы	63	44
Персики	63	44
Консервированный горошек	62	43
Дыня	62	43

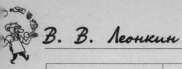

Продукт	ГИ относительно белого хлеба	ГИ относительно глюкозы
Спагетти	60	42
Апельсины, мандарины	60	42
Финики (сушеные)	57	40
Овсяные хлопья	57	40
Гречневая каша	57	40
Земляника, клубника, крыжовник	57	40
Фруктовые соки	57—64	40—45
Хлеб ячменный	55	38
Хлеб из цельной муки	50	35
Яблоки	50—57	35—40
Горох сухой	50	35
Груши	50	35
Йогурт нежирный фруктовый	47	33
Сливы	47	33
Молоко обезжиренное	46	32
Фасоль	43	30
Молоко цельное	41	28
Ягоды	36—43	25—30
Чечевица	38	27
Шоколад черный (60% какао)	36	25
Вишня	32	22
Брусника, клюква	29	20

Продукт	ГИ относительно белого хлеба	ГИ относительно глюкозы
Фруктоза	29	20
Фасоль красная	27	19
Рисовые отруби	27	19
Орехи разные	21—35	15—25
Арахис	21	15
Соя	23	16
Кефир	21	15

РЕКОМЕНДАЦИИ ПО ЗАГОТОВКЕ И ИСПОЛЬЗОВАНИЮ ПРОДУКТОВ ДЛЯ ДИАБЕТИЧЕСКИХ БЛЮД

Здесь я хочу познакомить вас с некоторыми продуктами, из которых можно приготовить даже праздничные блюда, которые по вкусу порой не отличаются от блюд, приготовленных из обычных продуктов.

1. Соевые молоко и сливки могут использоваться для замены коровьего молока в рецептах типа заварного крема. Некоторые люди, предпочитающие козье или овечье молоко, также могут использовать их как альтернативный вариант.

2. Можно использовать кукурузную муку, муку из подземных побегов или корневищ маранты, картофельный крахмал или муку картофеля в качестве наполнителя соуса для тех, кто не переносит пшеницы или клейковины.

3. Начинка может быть сделана со свободными от клейковины панировочными сухарями. Также можно использовать рис, земляной миндаль или овсянку.

4. Масло лучше заменить маслом нежирным или маргарином.

5. На готовых изделиях обязательно прочитайте состав, чтобы убедиться в отсутствии каких-либо скрытых добавок, которых необходимо избегать.

6. Овощи или хлебные булочки к мясу не должны подаваться в жирном соусе. В качестве соуса, например, хорошо использовать помидоры в собственном соку.

7. Пицца не должна содержать слишком больших маслин.

8. Используйте сыр, особенно обезжиренный сыр чеддер, свежие корнишоны, помидоры, базилик, кусочки свежих фруктов, сушеные фрукты.

САХАРОЗАМЕНИТЕЛИ

Исключение или резкое ограничение в рационе больных сахарным диабетом количества сладких продуктов вызывает дискомфорт. Для того чтобы избавить человека с диабетом от этого дискомфорта, создаются сахарозаменители, т. е. вещества, имеющие сладкий вкус, но не повышающие уровень сахара в крови. В настоящее время таких веществ известно более 200.

Некоторые из них имеют сладость, во много раз превышающую сладость сахара. Широкое распространение получили только некоторые.

Вы должны понимать, что именно употребляете в пищу и как этот продукт может повлиять на ваше самочувствие. Запомните некоторые правила, которые вы должны знать, отправляясь в магазин.

Если на прилавке с надписью «Диабетические продукты» лежат вафли, вместо сахара в них добавлен ксилит. Значит ли это, что эти вафли можно есть в любом количестве, не опасаясь повышения уровня сахара в крови? Нет! Ведь вафли испечены из теста, а мука повышает уровень сахара в крови. Конечно, те вафли, которые содержат сахар (глюкозу), повысят уровень сахара в крови сильнее, чем «диабетические», но и «диабетические» вафли тоже содержат ХЕ.

Если вы покупаете печенье, которое называется диетическим, то обратите внимание на этикетку. Написано ли там, что продукт приготовлен с использованием сахарозаменителей? Часто название продукта не соответствует его составу. Диетическое печенье на самом деле может быть сделано на глюкозе и в смысле повышения уровня сахара в крови ничем не отличается от «Юбилейного».

Пациенты с сахарным диабетом II типа, которым надо ограничить калорийность пищи, должны понимать, что надпись «диетический» на любом продукте не означает, что его можно есть много. Все продукты содержат то или иное количество калорий, которые обязательно должны учитываться.

Некоторые сахарозаменители не выдерживают тепловой обработки. Если сварить варенье с аспартамом, оно получится горьким. В таком случае лучше использовать сорбит, сахарин, цикламат натрия.

Хочу отметить, что варенье или компот, сваренные с помощью сахарозаменителей, тоже содержат ХЕ. Например, в трехлитровой банке компота — 12 яблок. Значит, в 3 л этого компота будет 12 ХЕ, даже если он сварен при помощи сахарозаменителей. 1 стакан такого компота (200 г) содержит около 1 ХЕ.

Сахарин при передозировке горчит. Не кладите его слишком много. Результат может получиться обратным.

Фруктоза всасывается в 3 раза медленнее, чем глюкоза. Поэтому повышение сахара в крови происходит медленнее, чем при употреблении глюкозы. Но в сутки рекомендуется употреблять не более 30—40 г фруктозы.

Наиболее калорийны сорбит, фруктоза, ксилит — сахарозаменители естественного происхождения. При сгорании в организме 1 г каждого из этих сахарозаменителей выделяется по 4 ккал. Это важно для больных, которые должны снизить массу тела, калории должны учитываться в суточном рационе.

Натрийцикламат (цукли) необходимо ограничивать при почечной недостаточности.

Ацесульфам калия ограничивают при сердечной недостаточности.

Аспартам не употребляется при фенилкетонурии.

Пищевые добавки, являющиеся сахарозаменителями, при потреблении в рекомендуемых дозах безопасны. Необходимо точно знать, с какой пищевой добавкой и в каком количестве вы имеете дело.

Ксилит

Это кристаллы сладкого вкуса, растворимые в воде, спирте.

По калорийности ксилит такой же, как сахар, но в 2 раза слаще его. Отрицательного действия на организм не оказывает, благодаря чему его применяют в пищевой промышленности, например, вместо сахара в производстве кондитерских изделий для больных диабетом и ожирением. Обладает желчегонным и послабляю-

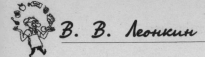

щим действием. Употребляют ксилит до 50 г в сутки. В промышленности ксилит получают из растительных отходов сельского хозяйства (например, из кукурузной кочерыжки, хлопковой шелухи).

Сорбит

Сорбит — сладкий порошок, получаемый из растительного сырья. Сорбит содержится во многих фруктах, однако по сладости в 2—3 раза уступает сахару. Промышленно производится из кукурузного крахмала. Легко растворяется в воде. Сорбит медленно всасывается из кишечника и не оказывает существенного влияния на уровень глюкозы крови. При кипячении сохраняет свой вкус. Устойчив к жаренью (выпечке). Калорийность такая же, как у сахара (1 г = 4 ккал). В больших количествах действует как слабительное.

Сорбит используется при сахарном диабете в качестве заменителя сахара (для выпечки печенья и пирогов, приготовления напитков, консервированных фруктов, диабетического варенья и мармелада, кондитерских изделий и т. д.).

Максимальная суточная доза — 40—50 г.

Может вызвать понос, тошноту, рвоту.

Калорийность в ХЕ — 12 г сорбита = 1 ХЕ.

Фруктоза

Фруктоза слаще глюкозы и сахарозы. Она является одним из наиболее часто встречающихся видов натурального сахара. В свободном виде присутствует почти во всех сладких ягодах и плодах. Половину сухой части меда составляет фруктоза.

От обыкновенного сахара фруктозу отличает возможность применения в пищевом рационе больных сахарным диабетом. Она хорошо усваивается организмом, не оказывая вредного влияния на здоровье и не вызывая побочных явлений.

По вкусу фруктоза не отличается от обыкновенного сахара и пе имеет какого-либо привкуса. Фруктозой можно заменить искусственные сладкие вещества, оказывающие отрицательное значение на здоровье.

Фруктоза ускоряет переработку алкоголя в организме человека. Введенная внутривенно, она применяется при лечении отравления алкоголем. Оказывает положительное действие при похмелье.

К преимуществам фруктозы можно отнести высокую степень сладости, безопасность с точки зрения возникновения кариеса, отсутствие побочных явлений.

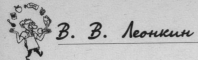

Фруктоза используется при изготовлении лечебных препаратов и диетических продуктов. Принимается в качестве заменителя сахарозы.

Аспартам

Аспартам — это подсластитель с очень низким содержанием калорий, приблизительно в 200 раз слаще сахара. Он хорошо усваивается организмом. В связи с высокой сладостью используемое количество аспартама настолько незначительно, что его можно считать почти свободным от калорий.

По вкусу аспартам очень близок к сахару. Усиливает запах натуральных фруктов, в особенности цитрусовых. За счет замены сахара аспартамом можно снизить количество калорий в напитках и продуктах. Крошечное количество аспартама с 1/10 калории дает тот же самый уровень сладости, как 1 ч. л. сахара с 16 калориями. Не вызывает кариеса.

Аспартам применяется для подслащивания разных продуктов, напитков. В настоящее время его применяют в изготовлении газированных напитков, соков, пудингов, наполнителей для тортов, желе, десертов и подливок, фруктовых соков, йогуртов, джемов, мармелада, кондитерских изделий.

Аспартам безопасен и одобрен для употребления в пищу диабетикам, беременным женщинам, кормящим матерям и детям.

Максимальная дневная доза: 40 мг на килограмм веса тела человека (JECFA).

Цукли (свитли)

Относится к лекарствам. Состоит из натрийцикламата, сахариннатрия.

Применяется при разгрузочной диете при сахарном диабете: 1 таблетка соответствует по сладости 4 г сахара. 10 капель сиропа соответствуют по сладости 6 г сахара.

Препарат устойчив к кулинарной обработке, нагреванию и замораживанию и может использоваться в качестве добавки к пище и напиткам.

Глава 2

КУЛИНАРНЫЕ РЕЦЕПТЫ

Теперь переходим к основной части нашей книги — кулинарным рецептам, рекомендованным больным диабетом.

В этом разделе я представляю вам рецепты как вегетарианских, так и различных рыбных и мясных блюд, доступных при соответствующем контроле больным практически со всеми формами диабета.

ВЕГЕТАРИАНСКАЯ КУХНЯ

Здесь вашему вниманию представлены блюда из растительных продуктов.

Вам предлагается наиболее широкий выбор на любой вкус, так как именно среди растений для вас очень мало ограничений.

Пробуйте!

Салаты

Салат из огурцов с картофелем и морковью

Требуется: 1 свежий огурец, 1 средний соленый огурец, 4 картофелины, 2 небольшие моркови, пучок зеленого лука, 2 ст. л. соевой сметаны, соль.

Способ приготовления: картофель и морковь отварить (картофель варить лучше в мундире). Картофель, морковь и огурцы нарезать кубиками.

Приготовленные продукты смешать, добавив мелко нарубленный зеленый лук, соль, сметану.

Салат летний

Требуется: 400 г белокочанной капусты, 300 г свежих огурцов, 150 г редиса, 100 г яблок, 0,5 стакана соевой сметаны, соль.

Способ приготовления: подготовленные овощи и яблоки нарезать тонкой соломкой, хорошо перемешать, добавить соль, заправить сметаной.

Салат
с цветной капустой

Требуется: 100 г цветной капусты, 1 средняя морковь, 3 ст. л. консервированной сладкой кукурузы, пучок зеленого салата, 3 ст. л. соевой сметаны, соль.

Способ приготовления: цветную капусту разделить на маленькие соцветия, промыть, отварить в подсоленной воде. Морковь нарезать кружочками и также отварить.

На дно салатницы аккуратно выложить крупно нарезанный салат, сверху отдельными маленькими горками морковь, кукурузу и капусту.

Посыпать солью, заправить сметаной.

Салат
из морской капусты

Требуется: 200 г морской капусты, 2 ст. л. подсолнечного масла, 2 луковицы, 2 зубчика чеснока.

Способ приготовления: лук мелко нарезать и спассеровать в 2 ст. л. подсолнечного масла.

Смешать с капустой, добавить мелко натертый чеснок.

Салат из свежих овощей

Требуется: 100 г кочанного салата («китайского»), 2 свежих огурца, 2 моркови, 100 г редиса, 3 ст. л. соевой сметаны, соль.

Способ приготовления: салат промыть холодной водой, просушить. Огурцы и листья салата нарезать брусочками, морковь и редис натереть на терке. Добавить соль. Все осторожно перемешать и заправить сметаной.

Салат греческий

Требуется: 250 г сладкого перца, 200 г помидоров, 0,5 стакана тертой брынзы, 2 зубчика чеснока, зелень петрушки, 2 ст. л. растительного масла.

Способ приготовления: перец и помидоры нарезать кусочками. Чеснок измельчить. Порубить зелень петрушки. Все перемешать, полить маслом и посыпать тертой брынзой.

Салат из свежих грибов

Требуется: 300 г грибов, 2 клубня картофеля, 1 яблоко, 1 луковица, 2 ст. л. соевой сметаны, соль.

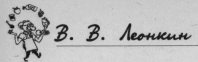

Способ приготовления: картофель отварить в мундире, очистить, нарезать кубиками. Грибы почистить, отварить в подсоленной воде и нарезать такими же кубиками. Яблоки натереть на крупной терке, репчатый лук измельчить. Подготовленные продукты смешать, посолить и заправить сметаной.

Салат из щавеля

Требуется: 400 г щавеля, 10 г укропа, 10 г зеленого лука, 1 ст. л. томатной пасты, 2 ст. л. соевой сметаны, соль.

Способ приготовления: укроп и зеленый лук измельчить, добавить сметану, томатную пасту, соль и все тщательно перемешать. Щавель промыть, обсушить, мелко нарезать и заправить приготовленным соусом.

Салат из баклажанов и сладкого перца

Требуется: 400 г баклажанов, 400 г сладкого перца, 50 г нежирного сыра, пучок зелени петрушки, 2 зубчика чеснока, 1,5 ст. л. растительного масла, соль.

Способ приготовления: баклажаны нарезать ломтиками, посолить, отжать сок, поджарить на растительном масле, охладить и нарезать каждый ломтик тонкими полосками. Сладкий перец запечь в духовке, очистить от кожицы и семян, нарезать соломкой. Приготовленные овощи смешать, добавить соль, мелко нарезанную зелень петрушки, измельченный чеснок и заправить растительным маслом. Готовый салат посыпать тертым сыром.

Икра баклажанная

Требуется: 1 кг баклажанов, 0,5 кг моркови, 3—4 больших луковицы, 0,4 кг сладкого перца, 0,8 кг помидоров, 0,5—1 стакан растительного масла.

Способ приготовления: баклажаны почистить, порезать кубиками 0,8—1 см, перец почистить (вынуть середину) и мелко порезать соломкой (длиной 1,5—2 см), морковь натереть на крупной терке, лук мелко порезать, помидоры натереть или пропустить через мясорубку.

Раскалить растительное масло на сковородке и поджарить лук до розового цвета. Затем добавить морковь и тушить 5 мин. Мешая, добавить помидоры и баклажаны. Подсолить и налить 0,5—1 стакана воды. Тушить 30—60 мин до однородной массы.

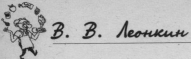

Салат из сладкого перца с брынзой

Требуется: 300 г сладкого красного перца, 200 г помидоров, 50 г брынзы, пучок зелени петрушки, 1,5 ст. л. растительного масла, соль.

Способ приготовления: перец очистить от плодоножек и семян, нарезать тонкими полосками. Помидоры нарезать ломтиками. Зелень петрушки мелко порубить. Брынзу нарезать кубиками. Подготовленные продукты смешать, добавить соль и заправить растительным маслом. Салат украсить веточками петрушки.

Салат из белокочанной капусты

Требуется: 200 г капусты, 2 свежих огурца, 1 средняя морковь, 100 г соевой сметаны, соль.

Способ приготовления: капусту нашинковать и перетереть с солью до выделения сока. Огурцы и морковь натереть на крупной терке. Подготовленные овощи перемешать, добавить соль и заправить сметаной.

Салат из картофеля и зелени

Требуется: 400 г картофеля, 200 г щавеля, 200 г шпината, 100 г соевой сметаны, зеленый лук, укроп, соль.

Способ приготовления: картофель отварить в мундире, очистить и нарезать кубиками. Щавель, шпинат, зеленый лук и укроп мелко нарезать. Приготовленные продукты смешать, добавить соль и заправить сметаной.

Салат из репы

Требуется: 400 г репы, 200 г моркови, 100 г яблок, 2 ст. л. лимонного сока, 100 г соевой сметаны, соль.

Способ приготовления: репу, морковь очистить, вымыть и натереть на крупной терке. Яблоки очистить от кожицы и семян, нарезать маленькими кубиками, сразу же смочив в соке лимона (чтобы они не потемнели). Приготовленные продукты смешать, добавить соль и заправить сметаной.

Салат из свеклы с чесноком

Требуется: 250 г свеклы, 2 зубчика чеснока, 2 ст. л. соевой сметаны, соль.

Способ приготовления: свеклу отварить в кожуре, очистить и натереть на крупной терке. Добавить измельченный чеснок, соль по вкусу, сметану и все перемешать.

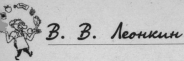

Салат из капусты с чесноком

Требуется: 500 г белокочанной капусты, 2 зубчика чеснока, 200 г соевой сметаны, 1 ч. л. 3%-ного уксуса, соль по вкусу.

Способ приготовления: белокочанную капусту тонко нашинковать и перетереть с солью. Добавить измельченный чеснок, уксус и перемешать.

Перед подачей на стол заправить сметаной.

Винегрет с морской капустой

Требуется: 200 г морской капусты, 100 г квашеной капусты, 1 соленый огурец, 1 крупная свекла, 2 клубня картофеля, 1 луковица, 150 г консервированного зеленого горошка, 3 ст. л. растительного масла, соль.

Способ приготовления: отваренные свеклу и картофель, а также соленый огурец нарезать кубиками. Квашеную капусту отжать от рассола и нашинковать. Лук мелко нарезать.

Все продукты соединить, добавить морскую капусту, зеленый горошек, соль, растительное масло и перемешать.

Винегрет с грибами

Требуется: 150 г маринованных или соленых грибов, 1 свекла, 1 соленый огурец, 3 клубня картофеля, 1 луковица, 1 морковь, 3 ст. л. растительного масла, зелень петрушки, соль.

Способ приготовления: свеклу, картофель и морковь отварить и нарезать кубиками. Добавить грибы и соленый огурец, также нарезанные кубиками, мелко нарезанный лук, соль и все перемешать.

Заправить растительным маслом, сверху посыпать зеленью.

Винегрет

Требуется: 1 крупная свекла, 200 г квашеной капусты, 2 соленых огурца, 3 клубня картофеля, 1 пучок зеленого лука, 1 морковь, 3 ст. л. растительного масла, соль.

Способ приготовления: отваренные свеклу, картофель и морковь, а также огурцы нарезать кубиками. Квашеную капусту отжать от рассола и нашинковать. Лук мелко нарезать.

Все продукты соединить, посолить, добавить растительное масло и перемешать.

Салат из тыквы

Требуется: 250 г тыквы, 2 яблока, 3 ст. л. соевой сметаны, 1 ч. л. фруктозы, щепотка корицы.

Способ приготовления: тыкву и яблоки очистить от кожицы и семян, нарезать маленькими кубиками. Подготовленные продукты соединить, добавив фруктозу, корицу, соевую сметану, перемешать.

Салат с морковью, тыквой и яблоками

Требуется: 4 моркови, 3 яблока, 150 г тыквы, 2 ч. л. лимонного сока.

Способ приготовления: морковь и тыкву очистить, натереть на крупной терке. Яблоки очистить от кожицы и семян, нарезать мелкими ломтиками и сбрызнуть лимонным соком. Соединить подготовленные морковь, тыкву и яблоки, перемешать.

Салат из квашеной капусты с яблоками

Требуется: 400 г квашеной капусты, 300 г яблок, 1 луковица, 3 ст. л. растительного масла, 1 ч. л. фруктозы.

Способ приготовления: квашеную капусту отжать, нарезать помельче. Яблоки очистить от семян, нарезать соломкой. Лук мелко нарезать, обдать кипятком, остудить. Все соединить, добавить фруктозу, растительное масло, перемешать.

Салат из сыра по-французски

Требуется: 150 г нежирного сыра чеддер, 0,5 стакана коричневого риса, 2 л воды, 0,5 стакана соевой сметаны, половина луковицы, соль.

Способ приготовления: рис промыть, опустить в кипящую подсоленную воду и варить на умеренном огне 7 мин; затем воду слить, кастрюлю с рисом плотно накрыть крышкой, огонь убавить до минимума. Через 5 мин рис снять с огня и еще 5 мин настаивать под крышкой. Сыр натереть на крупной терке, смешать со сметаной. Добавить мелко нарезанный лук, охлажденный рис, соль и все тщательно перемешать.

Салат картофельный

Требуется: 500 г картофеля, пучок зеленого лука, 4 ст. л. нерафинированного растительного масла, соль.

Способ приготовления: картофель тщательно вымыть, отварить в мундире, еще горячим очистить и нарезать кубиками. Добавить мелко нарезанный зеленый лук, соль, растительное масло и перемешать.

Салат из капусты с морковью и яблоками

Требуется: 300 г белокочанной капусты, 100 г моркови, 1 яблоко, 4 ст. л. соевой сметаны или растительного масла, соль.

Способ приготовления: капусту нашинковать тонкой соломкой, посолить и перетереть руками до появления сока. Морковь натереть на крупной терке. Яблоко разрезать на 4 части, удалить семена и нарезать соломкой.

Все соединить, добавив сметану или масло, перемешать.

Салат из маринованных шампиньонов и овощей

Требуется: 1 стакан маринованных шампиньонов, 3 клубня картофеля, 150 г консервированного зеленого горошка, пучок зеленого лука, 4 ст. л. растительного масла, соль.

Способ приготовления: отварить картофель в мундире, почистить и нарезать кубиками. К картофелю добавить нарезанные ломтиками шампиньоны, горошек и мелко нарезанный лук. Посолить, перемешать. Заправить растительным маслом.

Салат из квашеной капусты с грибами

Требуется: 400 г квашеной капусты, 150 г резаных консервированных грибов, 1 луковица, 3 ст. л. растительного масла.

Способ приготовления: капусту, грибы и нашинкованный лук соединить, добавить растительное масло, перемешать.

Салат из зеленого горошка, моркови и яблок

Требуется: 250 г консервированного зеленого горошка, 3—4 моркови, 2 яблока, 3 ст. л. соевой сметаны, соль.

Способ приготовления: морковь отварить, охладить, очистить и нарезать кубиками. Яблоки очистить от кожицы и семян, нарезать кубиками, добавить подготовленную морковь, зеленый горошек, соль, сметану. Все перемешать.

Салат из свеклы с фасолью

Требуется: 600 г свеклы, 1,5 стакана сухой белой фасоли, 2 соленых огурца, 1 морковь, 3 ст. л. соевой сметаны, соль.

Способ приготовления: фасоль промыть и замочить в холодной воде на 2 ч. Затем отварить в той же воде, добавив соль за несколько минут до конца варки. Вымытую свеклу сварить в кожуре или запечь. Остудить, очистить. Свеклу, морковь и соленые огурцы натереть на крупной терке, добавить фасоль, сметану, посолить, перемешать.

Салат из фасоли и грибов

Требуется: 1 стакан сушеной фасоли, 500 г свежих грибов, 2 луковицы, 1 морковь, 70 г нежирного сыра или тофу, 4 ст. л. соевой сметаны, 4 ст. л. рафинированного растительного масла, соль.

Способ приготовления: фасоль промыть и замочить в холодной воде на 2 ч. Затем в той же воде отварить, добавив за несколько минут до конца варки соль. Грибы некрупно нарезать и поджарить, добавив растительное масло. Морковь и лук мелко нарезать и спассеровать в растительном масле. Сыр натереть на крупной терке. Фасоль, грибы, лук с морковью, сыр соединить, добавить соль, сметану и тщательно перемешать.

Салат из капусты с зеленым горошком

Требуется: 400 г белокочанной капусты, 100 г моркови, 150 г консервированного зеленого горошка, 4 ст. л. растительного масла, соль.

Способ приготовления: капусту нашинковать тонкой соломкой, посолить и размять руками до появления сока. К капусте добавить натертую на крупной терке морковь, зеленый горошек, растительное масло и все перемешать.

Салат из моркови с чесноком

Требуется: 400 г моркови, 3 зубчика чеснока, 1 грецкий орех, 1—2 ч. л. лимонного сока, 0,5 стакана соевой сметаны, соль.

Способ приготовления: орех очистить от скорлупы, измельчить. Морковь натереть на крупной терке, добавить измельченный орех и чеснок, соль, лимонный сок. Перемешать. Салат заправить сметаной.

73

Закуски

Тюльпаны из помидоров

Требуется: 500 г помидоров, 200 г нежирного творога, 1 ст. л. сливочного масла, 1 ч. л. соли, 2 зубчика чеснока, зелень петрушки.

Способ приготовления: творог протереть с маслом. Добавить соль, мелко нарезанную зелень петрушки, измельченный чеснок. Все тщательно перемешать. У помидоров вынуть мякоть и начинить их приготовленной смесью. Сверху каждый помидор украсить веточкой петрушки.

Закуска из сладкого перца

Требуется: 2 стручка крупного сладкого перца (1 красный и 1 зеленый), 200 г нежирного творога, 1 ст. л. сливочного масла, 2 ч. л. соли, зелень петрушки.

Способ приготовления: творог протереть с маслом и солью. Добавить зелень. Все перемешать. У перцев удалить семена, начинить их приготовленной смесью и положить в холодильник на 30—40 мин. Затем перцы нарезать кольцами шириной 1 см и выложить на тарелку.

Икра из баклажанов

Требуется: 600 г баклажанов, 200 г репчатого лука, 200 г помидоров, 3 ст. л. растительного масла, 1 ч. л. 3%-ного уксуса, 2 зубчика чеснока, соль.

Способ приготовления: баклажаны испечь, снять кожицу, мякоть изрубить. Мелко нарезанный репчатый лук спассеровать в растительном масле, добавив помидоры, баклажаны. Периодически помешивая, тушить до тех пор, пока масса не сделается густой. Заправить икру чесноком, уксусом и солью. Все перемешать, проварить 2 мин на слабом огне и охладить.

Фасоль отварная в маринаде

Требуется: 200 г сухой фасоли, 100 г моркови, 100 г корня петрушки, 150 г репчатого лука, 2 ст. л. томатной пасты, 2 ст. л. растительного масла, лавровый лист, перец, соль.

Способ приготовления: фасоль промыть и замочить в холодной воде на 2 часа. Затем отварить, остудить. Лук нарезать полукольцами, морковь и петрушку — соломкой и спассеровать в растительном масле в течение 15 мин. Затем добавить томатную пасту, соль, перец, лавровый лист, довести до кипения.

Полученный маринад охладить и залить им фасоль.

Икра из сладкого перца и зеленых помидоров

Требуется: 500 г сладкого перца, 500 г зеленых помидоров, 1 луковица, 1 зубчик чеснока, 4 ст. л. растительного масла, соль.

Способ приготовления: испечь сладкий перец в духовке (35 мин), очистить от кожицы и семян. Испечь зеленые помидоры (40 мин) и вместе с перцем, луком и чесноком измельчить с помощью кухонного комбайна. Добавить растительное масло, соль по вкусу, перемешать и тушить 10 мин, не накрывая крышкой, чтобы часть влаги выпарилась и икра стала гуще.

Икра из свеклы и моркови

Требуется: 1 крупная свекла, 3 моркови, 3 луковицы, 1 ст. л. томатной пасты, 2 ст. л. подсолнечного масла, соль.

Способ приготовления: свеклу сварить, морковь, натертую на терке, и мелко нарезанный лук спассеровать в масле с добавлением томатной пасты. Добавить натертую свеклу, посолить и тушить до готовности.

Закуска из баклажанов

Требуется: 1 небольшой баклажан, 1 ст. л. рафинированного растительного масла, 2 ст. л. соевой сметаны, 5 грецких орехов, 1 зубчик чеснока, соль.

Способ приготовления: баклажан вымыть и вместе с кожицей нарезать поперек кружочками толщиной около 0,5 см. Кружочки посолить и поджарить на растительном масле до румяной корочки. Приготовить соус: измельчить с помощью терки грецкие орехи, добавить измельченный чеснок, сметану, все перемешать. Охлажденные баклажаны уложить на плоское блюдо. На каждый кружочек положить чайной ложкой немного соуса и распределить его по поверхности.

Фасоль с ореховым соусом

Требуется: 1 стакан фасоли, 10 грецких орехов, 100 г хлеба грубого помола, 2—3 зубчика чеснока, 0,5 стакана соевого молока, 0,25 стакана растительного масла, 1 ч. л. лимонного сока, соль.

Способ приготовления: фасоль промыть и замочить в холодной воде на 2 ч. Затем отварить в той же воде, добавив за несколько минут до конца варки соль. Остудить. Грецкие орехи очистить. Хлеб наломать кусочками, залить 0,25 стакана молока, перемешать и вместе с орехами и чесноком измельчить с помощью кухонного комбайна. Полученную массу выложить в миску, добавить остальное молоко, растительное масло, соль и перемешивать, пока масса по консистенции не будет напоминать сметану. Затем добавить лимонный сок, перемешать. Фасоль горкой на блюдо выложить, сверху полить ореховым соусом.

Помидоры, фаршированные грибами

Требуется: 5—6 помидоров, 300 г свежих шампиньонов, 1 луковица, 2 ст. л. растительного масла, 3 ст. л. соевой сметаны, зелень петрушки, перец, соль.

Способ приготовления: у помидоров срезать верхнюю часть, удалить мякоть вместе с семенами, в образовавшееся отверстие насыпать соль, перец. Грибы мелко нарезать, выложить на разогретую сухую сковороду и тушить в собственном соку. Когда сок выкипит, добавить растительное масло, мелко нарезанный лук, соль и жарить, пока лук не станет золотистым. Затем добавить сметану, перемешать, еще 1 мин прожарить и снять с огня. Охладить. Получившимся фаршем наполнить помидоры, украсить листиками петрушки.

Капуста деликатесная в маринаде

Требуется: 0,5 кг белокочанной капусты, 1 луковица, 1 морковь, 1 яблоко.

Для маринада: 0,5 л воды, 1 ст. л. растительного масла, 0,5 стакана 3%-ного яблочного уксуса, 1,5 ст. л. соли, 1 ч. л. фруктозы, 3 горошины душистого перца, 1 лавровый лист.

Приготовление маринада: в эмалированную кастрюлю налить 0,5 л воды, довести до кипения, добавить соль, фруктозу, перец, лавровый лист и кипятить 3 мин. Затем добавить растительное масло, уксус, довести до кипения и сразу же снять с огня.

Способ приготовления: капусту и лук нашинковать тонкой соломкой, морковь и очищенные от кожи и семян яблоки натереть на крупной терке. Все перемешать, плотно уложить в эмалированную или стеклянную посуду и залить горячим маринадом (так, чтобы он полностью покрыл смесь). Капуста будет готова через 3 ч.

Супы

Борщ вегетарианский

Требуется: 200 г картофеля, 200 г белокочанной капусты, 1 крупная свекла, 2 ст. л. растительного масла, 2 ст. л. томатной пасты или 2 помидора, 1 морковь, 2 луковицы, 1 корень петрушки, 1 ст. л. зелени петрушки, 1 ст. л. 3%-ного уксуса, 3 зубчика чеснока, 3 л воды, соль по вкусу.

Способ приготовления: свеклу нарезать соломкой и потушить с уксусом, частью растительного масла и томатной пастой. Лук, морковь и корень петрушки, нарезанные соломкой, спассеровать в оставшемся масле. В кипящую подсоленную воду положить нарезанные картофель и капусту и варить 10 мин. Затем опустить туда свеклу, лук, морковь и петрушку. Варить еще 5 мин. Добавить в борщ чеснок и зелень петрушки. Перед подачей на стол заправить сметаной.

Суп с цветной капустой

Требуется: 300 г цветной капусты, 200 г картофеля, 100 г моркови, 200 г лука-порея, зелень укропа, 3 л воды, соль по вкусу, соевая сметана.

Способ приготовления: в кипящую подсоленную воду положить нарезанный кубиками картофель, разобранную на отдельные кочешки капусту, нарезанные кружочками морковь и лук-порей. Варить 15 мин. Добавить мелко нарезанный укроп и держать на огне еще 5 мин. Подавать на стол со сметаной.

Летний суп с грибами

Требуется: 200 г картофеля, 1 луковица, 3 штуки мелкой свеклы с ботвой, 200 г белой фасоли, 100 г грибов, 2 ст. л. растительного масла, 1 ст. л. томатной пасты, 3 л воды, 1 ч. л. 3%-ного уксуса, соль.

Способ приготовления: лук мелко нарезать и спассеровать на растительном масле. Затем добавить томатную пасту и продолжать пассеровать до тех пор, пока масло не окрасится. От свеклы отрезать ботву и тщательно ее промыть. Свеклу нарезать кубиками, сбрызнуть уксусом и потушить. В кипящую подсоленную воду положить картофель, нарезанный кубиками, фасоль и грибы. Через 10 мин добавить свеклу, порубленную свекольную ботву, пассерованный лук. Варить еще 15 мин.

Фасолевый суп

Требуется: 200 г сухой фасоли, 200 г картофеля, 150 г репчатого лука, 100 г моркови, 2 ст. л. томатной пасты, 2 ст. л. растительного масла, 3 л воды, соль.

Способ приготовления: фасоль промыть, залить небольшим количеством холодной воды (вода должна полностью покрывать фасоль), прикрыть крышкой и варить, подливая воду вместо выкипевшей.

Мелко нарезанный лук и морковь, нарезанную кубиками, вместе спассеровать в растительном масле. Перед окончанием пассерования в овощи добавить томатную пасту и продолжать до тех пор, пока масло не приобретет ее цвет.

Готовую фасоль залить 3 л горячей воды, добавить соль, нарезанный кубиками картофель и варить 15 мин. За 5 мин до окончания варки добавить спассерованные овощи.

Рассольник

Требуется: 4 соленых огурца, 4 клубня картофеля, 1 морковь, 2 луковицы, 0,5 стакана рисовой крупы, корень сельдерея, 2 л воды, 2 ст. л. растительного масла, соль по вкусу.

Способ приготовления: с огурцов срезать кожицу, залить ее 1 стаканом кипятка и кипятить на медленном огне 10 мин. Затем вынуть вываривлувшуюся кожицу, а в рассол опустить нарезанную мякоть огурцов и варить еще 10 мин. Рисовую крупу промыть холодной водой. Лук мелко нарезать и спассеровать в масле.

В кипящую воду опустить нарезанные соломкой коренья (морковь, сельдерей), подготовленную крупу, через 10 мин   картофель и варить до готовности картофеля на умеренном огне. Затем добавить лук, подготовленные огурцы, долить рассол, если бульон недостаточно солсный, и продолжать варить еще 5—10 мин. При подаче на стол можно заправить соевой сметаной.

Щи из квашеной капусты с грибами

Требуется: 500 г квашеной капусты, 5 сухих белых грибов, 2 клубня картофеля, 1 морковь, 1 репа, 2 луковицы, корень и зелень сельдерея или петрушки, 2 лавровых листа, 2 зубчика чеснока, 3 ст. л. растительного масла, 100 г соевой сметаны, 3—3,5 л воды, соль.

Способ приготовления: квашеную капусту мелко нашинковать и потушить с добавлением растительного масла до мягкости. Лук мелко нарезать, морковь и корень петрушки (сельдерея) натереть на крупной терке или нарезать соломкой и спассеровать вместе с луком в растительном масле в течение 10 мин. Картофель и репу очистить и нарезать соломкой. Грибы опустить в кипящую подсоленную воду и варить около 1 мин. Затем грибы вынуть, нарезать соломкой и вернуть в воду довариваться. Через 5 мин положить картофель, репу, подготовленную капусту, лавровый лист, черный перец и варить еще 15 мин. Затем добавить спассерованные овощи, измельченный чеснок, зелень петрушки, довести до кипения, снять с огня. После этого щи должны постоять под крышкой около 15 мин, желательно их укутать. При подаче на стол заправить сметаной.

Щи из свежей капусты

Требуется: 500 г белокочанной капусты, 3 клубня картофеля, 1 луковица, 1 морковь, корень петрушки или сельдерея, 2 помидора или 2 ст. л. томатной пасты, 2 зубчика чеснока, зелень петрушки, 2 лавровых листа, 3 ст. л. рафинированного растительного масла, 3 л воды, 0,5 стакана соевой сметаны, соль.

Способ приготовления: лук мелко нарезать, морковь и корень петрушки (сельдерея) нитереть на крупной терке или нарезать соломкой и пассеровать вместе с луком в растительном масле в течение 10 мин, затем добавить мелко нарезанные помидоры или томатную пасту и пассеровать еще 2 мин. Картофель очистить, нарезать кубиками, опустить в кипящую подсоленную воду, и варить 5 мин. Добавить нашинкованную капусту, лавровый лист и варить еще около 15 мин. Наконец положить туда же спассерованные овощи, измельченный чеснок, зелень петрушки, довести до кипения, снять с огня. После этого щи должны постоять под крышкой около 15 мин, чтобы дойти до настоящего вкуса. При подаче на стол заправить сметаной.

Суп овощной с шампиньонами

Требуется: 300 г свежих шампиньонов, 5 клубней картофеля, 1 луковица, 1 морковь, 4 ст. л. растительного масла, 2,5 л воды, соль, 100 г соевой сметаны.

Способ приготовления: лук мелко нарезать, морковь натереть на крупной терке и спассеровать их вместе в растительном масле. Шампиньоны нарезать, выложить на сухую разогретую сковороду и жарить, пока сок, выпущенный грибами, не выкипит. Затем добавить соль, растительное масло и жарить на умеренном огне около 5 мин. Картофель очистить и нарезать кубиками, опустить в подсоленную кипящую воду и варить 10 мин. Затем добавить подготовленные грибы и спассерованные овощи и варить еще 5 мин. При подаче на стол можно заправить сметаной.

Суп из кабачков

Требуется: 400 г кабачков, 5 клубней картофеля, 1 морковь, 1 луковица, 5 ст. л. растительного масла, 2 зубчика чеснока, 2 л воды, 100 г соевой сметаны, соль.

Способ приготовления: кабачки очистить от кожицы и семян, нарезать кубиками и поджарить на растительном масле до образования румяной корочки. Лук мелко нарезать, морковь нарезать кубиками и спассеровать в растительном масле вместе с луком. Картофель очистить, нарезать кубиками, положить в кипящую подсоленную воду и варить 15 мин. Затем добавить подготовленные кабачки, спассерованные овощи, измельченный чеснок и варить еще 2 мин.

При подаче на стол щедро заправить сметаной.

Суп с брюссельской капустой

Требуется: 300 г брюссельской капусты, 4 клубня картофеля, 1 луковица, 1 морковь, 4 ст. л. растительного масла, 1 л воды, 1 л молока, зелень петрушки, соль.

Способ приготовления: лук и морковь очистить, морковь натереть на крупной терке, лук мелко нарезать и вместе спассеровать в растительном масле. Картофель очистить, опустить в подсоленную кипящую воду и варить 5 мин. Добавить брюссельскую капусту и варить еще 10 мин. Затем добавить пассерованные овощи, влить молоко, довести до кипения и снять с огня. При подаче на стол посыпать измельченной зеленью петрушки.

Луковый суп с грибами

Требуется: 400 г репчатого лука, 200 г свежих грибов (белых или шампиньонов), 4 ст. л. рафинированного растительного масла, 2 ст. л. муки, 1,5 л воды, соль.

Способ приготовления: лук мелко нарезать и поджарить на растительном масле до золотистого цвета. Затем добавить к луку муку, перемешать и снять с огня. Грибы крупно нарезать, опустить в кипящую подсоленную воду и варить 5 мин, накрыв кастрюлю крышкой. Затем добавить поджаренный лук с мукой, и варить еще 10 мин.

Суп из чечевицы

Требуется: 1,5 стакана коричнево-зеленой чечевицы, 2 луковицы, корень петрушки, 3 зубчика чеснока, 3 лавровых листа, 50 г сливочного масла, 2,5 л воды, соль.

Способ приготовления: чечевицу перебрать, промыть, залить 1,5 л кипящей воды и варить до мягкости (40—50 мин) под крышкой. Затем добавить еще 1 л горячей воды, мелко нарезанные и спассерованные в сливочном масле лук и петрушку, лавровый лист, перец и варить на слабом огне еще 10 мин. В конце варки заправить мелко нарезанным чесноком, проварить 1 мин и снять с огня.

Суп из квашеной капусты с варениками

Требуется: 300 г квашеной капусты, 1 луковица, 1 ст. л. растительного масла, 2 стакана кукурузной муки, 0,2 л воды, 2 л грибного бульона, 1 ч. л. соли.

Способ приготовления: квашеную капусту порубить мельче и поджарить на растительном масле вместе с мелко нарезанным луком. Из муки, холодной воды и соли замесить крутое тесто и раскатать его в тонкий пласт (1,5—2 мм). Пласт нарезать на квадраты размером 5 x 5 см, положить точно в центр капустный фарш (примерно по 0,5 ч. л.). Слепить треугольные вареники. В кипящий грибной бульон опустить приготовленные вареники и проварить их 5—7 мин.

Горячие блюда

Картофель, запеченный с сыром

Требуется: 1 кг картофеля, 50 г сливочного масла, 5 ст. л. нежирного тертого сыра, соль.

Способ приготовления: для приготовления этого блюда клубни картофеля лучше брать круглые, одинаковой величины и не очень крупные. Сыр желательно твердый и нежирный (типа чеддер).

Клубни картофеля очистить и разрезать поперек на тонкие ломтики, но не до конца, чтобы внешне они казались целыми. Форму смазать

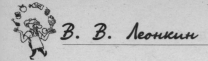

маслом, поместить в нее картофель, посыпать солью и на каждую картофелину положить кусочек масла. Сверху посыпать тертым сыром.

Поставить форму в духовку со средним нагревом. Запекать до золотисто-коричневого цвета.

Вегетарианский плов (с грибами)

Требуется: 500 г грибов (шампиньонов), 2 луковицы, 200 г моркови, 0,5 стакана растительного масла, 400 г коричневого риса, соль.

Способ приготовления: лук, морковь и грибы нарезать соломкой. Положить в высокую сковороду лук и морковь и спассеровать в растительном масле. Добавить грибы, еще немного все прожарить. Затем влить 3 стакана воды, посолить, засыпать рис, разровнять, если нужно, добавить еще воды (вода должна покрывать рис на 1,5—2 см).

Огонь сделать умеренным. Вода должна кипеть равномерно. Ничего не перемешивать! Когда вода выпарится, огонь погасить. Плов собрать горкой от стенок к центру и накрыть крышкой. Через 15—20 мин его можно перемешать и подать к столу.

Капуста, тушенная со сметаной

Требуется: 1 кочан капусты, 0,5 стакана воды, 3 ст. л. растительного масла, 0,5 стакана нежирной сметаны, соль.

Способ приготовления: капусту крупно нарезать, положить в глубокую сковороду, добавить воду, соль, накрыть крышкой и тушить на умеренном огне. Когда вода выпарится, добавить растительное масло и тушить, пока капуста не станет совсем мягкой.

Затем добавить сметану, все перемешать и прогреть еще около 5 мин, постоянно помешивая.

Винегрет горячий

Требуется: 300 г картофеля, 200 г репы, 200 г моркови, 200 г консервированного зеленого горошка, 100 г соленых грибов, 2 соленых огурца.

Для соуса: 1,5 стакана овощного отвара, 2,5 ч. л. муки, 0,5 ст. л. растительного масла, 0,25 стакана нежирного молока, зелень сельдерея, соль.

Способ приготовления: картофель, репу, морковь нарезать кубиками и отварить в подсоленной воде. Отвар слить в отдельную емкость. Он

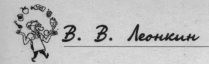

пригодится для приготовления соуса. К отварным овощам добавить мелко нарезанные соленые огурцы, горошек и грибы. Доварить винегрет до готовности.

Приготовление соуса: половину овощного отвара размешать с мукой (отвар должен быть холодным). Вторую половину отвара вскипятить, добавить в него, наливая тонкой струйкой, первую половину с мукой. Когда соус загустеет, добавить масло, молоко, соль, рубленую зелень и снова довести до кипения. Готовым соусом полить горячий винегрет.

Капуста тушеная

Требуется: 400 г белокочанной капусты, 2 луковицы, 2 ст. л. томатной пасты, 2 ст. л. растительного масла, соль.

Способ приготовления: капусту нарубить и потушить в небольшом количестве воды до полуготовности. Лук мелко нарезать, спассеровать в растительном масле, добавить томатную пасту и потушить еще 5 мин. Капусту смешать с приготовленным луком, посолить и тушить до готовности.

Баклажаны, жаренные с луком

Требуется: 4 баклажана, 2 луковицы, 4 ст. л. кукурузной муки, 1 стакан 15%-ной сметаны, 2 ст. л. томатной пасты, 4 ст. л. растительного масла, соль.

Способ приготовления: баклажаны помыть, срезать концы, ошпарить. Нарезать тонкими ломтиками, посолить, обвалять с обеих сторон в муке и обжарить на растительном масле. Лук нарезать кольцами и тоже обжарить на масле. Готовые баклажаны переложить на блюдо, чередуя с жареным луком. На сковороду положить сметану, томатную пасту, немного масла, смешать и дать прокипеть. Затем этим соусом залить баклажаны.

Фаршированный перец

Требуется: 1 кг сладкого зеленого перца, 2 моркови, 3 луковицы, 2 ст. л. томатной пасты, 1 стакан коричневого риса, 2 ст. л. растительного масла, соль.

Способ приготовления: у сладкого перца подрезать мякоть у плодоножки и удалить ее вместе с семенами, а внутренность зачистить. Перец отварить на пару в течение 1—2 мин.

Для фарша: сварить рассыпчатый рис. Лук и морковь нарезать соломкой и спассеровать на растительном масле. Добавить томатную пасту и продолжать пассеровать, пока масло не окрасится в цвет томата. К приготовленным овощам добавить рис, соль, все хорошо перемешать и довести до кипения.

Перец нафаршировать, уложить в глубокую сковороду, добавить немного воды и запечь в духовке.

Капуста, тушенная со сладким перцем

Требуется: 600 г белокочанной капусты, 200 г сладкого перца, 1 морковь, 1 луковица, 3 ст. л. томатной пасты, 4 ст. л. растительного масла, соль.

Способ приготовления: капусту и морковь нашинковать, перец нарезать соломкой, лук измельчить. Овощи сложить в глубокую сковороду, добавить соль, томатную пасту, 0,5 стакана воды и тушить под крышкой, подливая воду по мере выкипания.

Когда капуста станет мягкой, крышку снять, в овощи добавить масло и тушить, пока не испарится оставшаяся вода.

Капуста, тушенная с яблоками и сладким перцем

Требуется: 700 г белокочанной капусты, 2 кислых яблока, 1 луковица, 1 сладкий перец, 3 ст. л. растительного масла, соль.

Способ приготовления: капусту нашинковать, перец нарезать соломкой, лук измельчить. Все сложить в глубокую сковороду, залить 0,75 стакана воды, посолить и тушить 10 мин под крышкой. Затем добавить натертое на крупной терке яблоко и тушить еще 5 мин. Потом добавить растительное масло, перемешать и тушить без крышки, помешивая. Через 5 мин блюдо готово.

Тушеные грибы

Требуется: 500 г свежих грибов, 2 луковицы, 2 ст. л. растительного масла, 2 ст. л. соевой сметаны, соль.

Способ приготовления: грибы, нарезанные тонкими ломтиками, и измельченный лук выложить на сухую сковороду и тушить в собственном соку. Когда сок выкипит, добавить соль, растительное масло, сметану, потушить еще 1 мин, снять с огня.

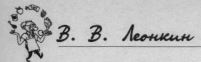

Овощная смесь, тушенная в молоке

Требуется: 400 г цветной капусты, 400 г картофеля, 200 г репы, 200 г стручковой фасоли, 200 г моркови, 1,5 стакана 0,5%-ного молока, 50 г сливочного масла, соль.

Способ приготовления: цветную капусту разделить на мелкие соцветия, картофель, репу и морковь очистить и нарезать кубиками. Все овощи соединить, добавить соль, перемешать, выложить в глубокую толстостенную посуду, залить молоком, добавить сливочное масло, нарезанное кусочками, и тушить в духовке около 50 мин.

Картофель, тушенный с грибами

Требуется: 1,5 кг картофеля, 1 кг свежих грибов, 2 луковицы, 5 ст. л. растительного масла, соль.

Способ приготовления: грибы нарезать тонкими ломтиками и выложить на сухую разогретую сковороду. Сок, который дадут грибы, слить в отдельную посуду, чтобы использовать его для приготовления картофеля. К грибам добавить мелко нарезанный лук, растительное масло, соль и поджарить. Картофель очистить, крупно нарезать, выложить в сотейник, залить 2 стаканами грибного отвара (если отвара окажется меньше, добавить воду), посолить, накрыть крышкой и 20 мин тушить на умеренном огне. Затем к картофелю добавить поджаренные грибы, осторожно перемешать и тушить еще 10 мин, накрыв крышкой.

Грибы жареные

Требуется: 1 кг свежих грибов, 0,3 стакана подсолнечного масла, 2 луковицы, 2 ст. л. соевой сметаны, соль.

Способ приготовления: грибы очистить, промыть, нарезать некрупными кусочками, выложить на сухую разогретую сковороду и жарить на среднем огне, пока выпущенный грибами сок не выкипит. Затем добавить подсолнечное масло, соль, мелко нарезанный лук и жарить на еще меньшем огне, пока лук не станет золотистым. После этого добавить сметану и продолжать жарить до образования коричневатого колера.

Пельмени с грибами

Требуется: для теста: 2 стакана кукурузной муки, 0,75 стакана воды, 4 ст. л. подсолнечного масла, 1 ч. л. соли.

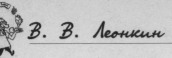
Для начинки: 500 г свежих грибов, 1 луковица, 1 ст. л. растительного масла, соль.

Способ приготовления: грибы мелко нарезать, выложить на разогретую сухую сковороду и тушить в собственном соку, пока сок не выкипит. Затем посолить, добавить растительное масло, мелко нарезанный лук и поджарить. Остудить.

В миску высыпать муку, залить ее крутым кипятком, добавить растительное масло, соль и замесить тесто. Раскатать тесто в тонкий пласт (1—2 мм), вырезать стаканом кружочки диаметром около 6 см, положить на середину каждого немного начинки и слепить полукруглые пельмени, защипнув края. Пельмени отварить в подсоленной воде в течение 5 мин. При подаче на стол пельмени можно залить сметаной.

Пельмени можно заготовить впрок. Для этого их надо заморозить: вылепленные пельмени уложить на посыпанную мукой доску и поставить в морозильную камеру, затем ссыпать в полиэтиленовые пакеты. Замороженные пельмени отваривать так же, как и свежие.

Жареные кабачки со сметаной

Требуется: 700 г кабачков, 2 зубчика чеснока, 4 ст. л. соевой сметаны, 0,3 стакана растительного масла, соль.

Способ приготовления: кабачки очистить от кожи и семян, нарезать тонкими (толщиной 0,5 см) кружочками или пластинками, посолить и оставить примерно на 30 мин. Затем поджарить на сковороде на растительном масле с обеих сторон. Обжаренные кабачки сложить вместе в сковороду, добавить сметану, измельченный чеснок, аккуратно перемешать и дать прокипеть 0,5 мин. Подавать горячими. При подаче рекомендуется посыпать измельченной зеленью петрушки.

Выпечка

Хачапури

Требуется: 200 г нежирного сыра, 200 г пшеничной муки грубого помола, 0,1 л минеральной воды, 0,5 ч. л. дрожжей, щепотка соли.

Способ приготовления: сыр натереть на крупной терке. Из муки, минеральной воды, дрожжей и соли замесить тесто (месить не менее 10 мин). Готовое тесто собрать в шар, придавить и раскатать в пласт-блин. Положить сверху сыр, края пласта собрать вместе и защипнуть. Хачапури немного придавить и растянуть, придав ему форму лепешки. В середине пальцем проделать отверстие. Выпекать 10 мин при температуре около 300 °С.

Пирожки с грибами

Требуется: тесто: 2 стакана муки грубого помола, 100 г сливочного масла, 3 ст. л. соевой сметаны, 0,75 ч. л. пищевой соды, 1 ст. л. уксуса, 0,5 ч. л. соли.

Начинка: 250 г свежих грибов, 1 луковица, 2 ст. л. растительного масла, 1 ст. л. сметаны, соль.

Способ приготовления: муку насыпать холмиком, сверху положить сливочное масло и порубить его ножом. Затем добавить соду, погашенную уксусом, сметану, соль и замесить тесто. Тесто скатать в шар и на 30 мин поместить в холодильник.

Грибы мелко нарезать, положить на разогретую сухую сковороду и жарить до тех пор, пока выпущенный грибами сок не выкипит. Затем посолить, добавить мелко нарезанный лук, масло, перемешать и продолжать жарить, пока лук не приобретет золотистый цвет. После этого заправить сметаной и прожарить еще 1 мин.

Тесто раскатать в жгут, разрезать на кусочки, из каждого кусочка сформовать лепешку. На середину лепешки положить начинку, перегнуть лепешку пополам и соединить края. Затем пирожок повернуть швом вниз и прижать ладонью. Противень с пирожками поставить в предварительно разогретую духовку и выпекать около 20 мин.

Вегетарианские ватрушки

Требуется: тесто: 500 г пшеничной муки грубого помола, 0,1 л растительного масла, 1 стакан молока, 1 ч. л. соли, 30 г дрожжей.

Начинка: 250 г нежирного творога, 1 ч. л. соли, зелень петрушки или кинзы.

Способ приготовления: дрожжи развести в теплом молоке. Муку просеять в миску, влить молоко с дрожжами, растительное масло, добавить соль. Хорошенько вымесить тесто и дать подойти. Из теста сформовать круглые булочки, уложить их на противень, дать подняться. Затем сверху на середину каждой булочки положить творожную начинку и вдавить ее. Выпекать в предварительно разогретой духовке около 20 мин.

Приготовление начинки: творог выложить в миску, добавить соль, измельченную зелень и тщательно перемешать.

Пирожки с капустой

Требуется: тесто: 500 г пшеничной муки грубого помола, 0,1 л растительного масла, 1 стакан молока или воды, 1 ч. л. соли, 30 г дрожжей.

Начинка: 300 г белокочанной капусты, 1 луковица, 2 ст. л. растительного масла, соль.

Способ приготовления: дрожжи развести в теплом молоке (воде). Муку просеять в миску, влить молоко (воду) с дрожжами, растительное масло, добавить соль. Хорошенько вымесить тесто и дать подойти. Готовое тесто раскатать в жгут и разрезать на кусочки. Из каждого кусочка скатать шарик и оставить на 5 мин на разделочной доске. Затем каждому шарику придать форму лепешки толщиной 4—5 мм. На середину лепешки чайной ложкой положить начинку, перегнуть лепешку пополам, соединить края и перевернуть швом вниз. Пирожки уложить на противень, накрыть полотенцем и оставить на 20 мин. Выпекать в предварительно разогретой духовке 20 мин при температуре около 250 °C.

Приготовление начинки: капусту мелко нашинковать, выложить на сковороду, добавить немного воды, соль и тушить под крышкой на слабом огне, пока не станет мягкой. Затем добавить растительное масло, мелко нарезанный лук, усилить огонь и слегка обжарить капусту с луком, чтобы она осталась светлой.

Блины с грибами

Требуется: тесто: 3 стакана пшеничной муки грубого помола, 4,5 стакана 0,5%-ного молока, 25 г дрожжей, 1 ч. л. фруктозы, 1 ч. л. соли, 0,5 стакана растительного масла (для жарки).

Начинка: 1—1,2 кг свежих грибов, 2 луковицы, 4 ст. л. 15%-ной сметаны, 4 ст. л. растительного масла, соль.

Способ приготовления: дрожжи развести в небольшом количестве молока. В кастрюлю просеять 1,5 стакана муки, добавить 1,5 стакана холодного молока и размешать, чтобы не было комочков. Остальное молоко довести почти до кипения и залить им тесто. Тщательно размешать, остудить, добавить разведенные дрожжи, дать подойти. Затем добавить остальную муку (просеянную), фруктозу, соль, перемешать, снова дать подойти.

Выпекать блины на хорошо разогретой сковороде, смазанной маслом: палитое тесто поворачиванием сковороды распределить ровным слоем по всей поверхности и обжарить с двух сторон до образования светлой корочки. Готовые блины складывать стопкой.

Когда они остынут, на середину каждого положить начинку, завернуть в виде прямоугольных пирожков (загнуть нижнюю часть блина, на нее подвернуть верхнюю, а затем боковые части) и обжарить с обеих сторон до образования румяной корочки.

Приготовление начинки: грибы очистить, промыть, нарезать некрупными кусочками, выложить на сухую разогретую сковороду и жарить на среднем огне, пока выпущенный грибами сок не выкипит. Затем добавить растительное масло, соль, мелко нарезанный лук и жарить на маленьком огне 5—7 мин. После этого добавить сметану и жарить еще 5 мин. Грибы остудить.

Пирог из ржаной муки с картофелем

Требуется: тесто: 2 стакана ржаной муки, 1 стакан воды, 0,5 ч. л. соли.

Начинка: 700 г картофеля, 250 г репчатого лука, 50 г сыра (по желанию), 0,3 стакана растительного масла, соль.

Способ приготовления: в миску высыпать муку, добавить воду, соль, замесить тесто, раскатать его в виде прямоугольного пласта толщиной 0,7 см. Пласт, навернув на скалку, перенести на смазанный маслом противень, в нескольких местах наколоть вилкой. Сверху равномерно распределить начинку и пригладить ее ложкой.

При этом оставить незанятой кромку теста шириной около 2 см. Края теста загнуть и защипнуть в углах. Пирог смазать растительным маслом (и края, и начинку), посыпать тертым сыром (по желанию) и выпекать при температуре 200 °С 20 мин. Сразу после выпечки корочку пирога смазать растительным маслом, чтобы она была мягче.

Приготовление начинки: лук мелко нарезать и спассеровать в растительном масле. Картофель очистить и отварить в подсоленной воде до готовности. Воду слить, картофель растолочь, добавить лук, соль, перемешать.

КАШИ

Каша смоленская с грибами

Требуется: 2 стакана дробленой гречневой крупы (продела), 0,5 стакана воды, 200 г свежих грибов, 2 луковицы, 3 ст. л. рафинированного растительного масла, соль.

Способ приготовления: свежие грибы (лучше белые) почистить, промыть, мелко нарезать и варить в подсоленной воде в течение 20 мин. Затем вынуть их шумовкой, а получившимся отваром залить крупу (на 2 стакана крупы 3 стакана отвара; если отвара окажется меньше, добавить воду) и варить до полного ее разваривания. Одновременно мелко нарезать лук и спассеровать в растительном масле. Добавить вареные грибы и прожарить все вместе еще 2 мин. Снять кашу с огня, заправить ее луком с грибами, накрыть крышкой и дать постоять 10 мин для распаривания.

Каша гречневая рассыпчатая

Требуется: 1 стакан гречневой крупы ядрицы, 2 стакана воды, 2 ст. л. сливочного масла, соль.

Способ приготовления: крупу перебрать, промыть, положить в кастрюлю, залить горячей подсоленной водой и поставить на сильный огонь. Когда вода закипит, кастрюлю накрыть крышкой, огонь убавить наполовину и продолжать варить 10 мин до загустения (кашу не мешать). Затем еще убавить огонь до слабого и варить около 5 мин до полного выпаривания воды (кашу опять же не мешать). Снять кастрюлю с огня, завернуть в одеяло или поместить в теплую духовку на 10—15 мин. Готовую кашу заправить сливочным маслом.

Каша овсяная

Требуется: 2 стакана овсяных хлопьев, 6 стаканов 0,5%-ного молока, 1 ч. л. соли, 3 ч. л. фруктозы, 0,5 ч. л. корицы, 0,5 ч. л. бадьяна, 1 лимон.

Способ приготовления: в горячее молоко засыпать овсяные хлопья, добавить соль, довести до кипения и варить на слабом огне 15 мин, постоянно помешивая. Затем добавить фруктозу, пряности, измельченную кожуру лимона, размешать и варить еще 5 мин, помешивая.

Каша пшенная с тыквой

Требуется: 5 стаканов 0,5%-ного молока, 2 стакана пшена, 200 г тыквы, 2 ч. л. фруктозы, 0,5 ч. л соли, ванилин на кончике ножа, 50 г сливочного масла.

Способ приготовления: тыкву очистить от кожицы и семян. Пшено промыть, засыпать в горячее молоко, довести до кипения, добавить соль, фруктозу, ванилин, нарезанную мелкими кубиками тыкву. Варить 15 мин, помешивая. При подаче кашу заправить сливочным маслом.

Каша чечевичная

Требуется: 2 стакана коричнево-зеленой чечевицы, 1 л воды, 50 г сливочного масла, соль.

Способ приготовления: чечевицу перебрать, промыть, залить горячей водой, накрыть крышкой и варить на маленьком огне 50 мин. Затем добавить соль, сливочное масло, перемешать до растворения масла, снова накрыть крышкой и держать на минимальном нагреве еще 10 мин.

Перловая каша с грибами

Требуется: 2 стакана перловой крупы, 400 г свежих или 50 г сушеных грибов, 1 луковица, 1 морковь, 0,3 стакана растительного масла, соль.

Способ приготовления: крупу перебрать, промыть и замочить в 4 стаканах холодной воды на 3 ч.

Свежие грибы мелко нарезать и выложить на разогретую сковороду. Сок, который они дадут, слить в отдельную посуду (в дальнейшем он используется для приготовления каши), а грибы посолить и поджарить на растительном масле.

Сушеные грибы промыть несколько раз и замочить в 2 стаканах холодной воды на 3 ч.

После этого воду процедить через ткань, грибы снова промыть и отварить в той же воде (в которой они замачивались) до готовности. Откинуть на дуршлаг, мелко нарезать и поджарить на растительном масле, добавив соль, а отвар использовать для варки каши.

Приготовление каши: морковь натереть на крупной терке и вместе с мелко парезанным луком спассеровать в растительном масле. Крупу поставить на огонь, посолить, добавить 2 стакана грибного отвара (если отвара окажется меньше, то развести его водой) и варить на маленьком огне, накрыв крышкой и периодически помешивая, чтобы каша не подгорела. Через 15 мин к крупе добавить спассерованные овощи, грибы, все перемешать, снова накрыть крышкой и томить при минимальном нагреве 10 мин.

Напитки

Морс клюквенный

Требуется: 2 стакана клюквы, 2 л воды, 2 ч. л. меда.

Способ приготовления: клюкву перебрать, вымыть, размять и отжать сок. Сок поставить в холодильник. Выжимки залить горячей водой, поставить на огонь и прокипятить в течение 5 мин. Затем снять с огня и процедить. Растворить в полученном отваре мед, добавить ранее отжатый сок и перемешать.

Компот из ревеня

Требуется: 200 г ревеня, 1 л воды, 2 ч. л. фруктозы, 2 бутона гвоздики, апельсиновая цедра по вкусу.

Способ приготовления: этот компот надо готовить в первой половине лета, так как ревень в это время наиболее полезен. Стебель ревеня вымыть, очистить от грубых волокон и мелко нарезать. Затем залить горячей водой, добавить фруктозу и варить вместе с приправами до размягчения. Процедить и остудить.

Морс апельсиновый

Требуется: 2 апельсина, 2 л воды, 0,25 стакана фруктозы.

Способ приготовления: апельсин очистить и отжать сок. Сок поставить в прохладное место. Выжимки залить горячей водой (можно добавить часть апельсиновой кожуры, но тогда морс будет с горьковатым привкусом), поставить на огонь и прокипятить 10 мин. Снять с огня и процедить. В полученном отваре растворить фруктозу, добавить ранее отжатый сок и перемешать.

Коктейль с кефиром и ягодами

Требуется: 2 стакана кефира, 1 стакан земляники или малины, 1 ч. л. фруктозы.

Способ приготовления: землянику (малину) вымыть и очистить от плодоножек. Затем ягоды размять деревянной ложкой, добавить кефир и фруктозу, взбить миксером.

Чай сборный

Требуется: в равных количествах сушеные: цветы липы, ромашка аптечная, зверобой, плоды шиповника.

Способ приготовления: смешать перечисленные компоненты. Перед завариванием согреть пустой заварной чайник, ополоснув его 3 раза кипятком. Затем насыпать в него сбор из расчета 3 ч. л. на 1 стакан воды и тотчас же залить кипятком до половины чайника. Чайник накрыть крышкой и салфеткой. Настаивать 15 мин. Затем долить еще кипятка и разлить чай по чашкам, процедив с помощью ситечка.

Чай из плодов шиповника

Требуется: 3 ст. л. сушеных плодов шиповника, 3 стакана воды, мед — по желанию.

Способ приготовления: плоды шиповника промыть, залить кипятком, довести до кипения и 15 мин настаивать в закрытой посуде. Затем процедить, добавить немного мед и разлить по чашкам.

Чай лесной

Требуется: 100 г сушеных листьев земляники, 50 г сушеных листьев черной смородины, 50 г сушеных листьев вишни, 50 г сушеной малины, мед, фруктоза по вкусу.

Способ приготовления: смешать сушеные листья и малину. Перед завариванием согреть пустой заварной чайник, ополоснув его 3 раза кипятком. Затем насыпать в него смесь из расчета 3 ч. л. на стакан воды и тотчас же залить кипятком до половины чайника. Чайник накрыть крышкой и салфеткой. Настаивать 15 мин. Затем еще долить кипятка и разлить чай по чашкам, процедив с помощью ситечка. Можно добавить по вкусу фруктозу или мед.

Чай земляничный

Требуется: 50 г черного байхового чая, 150 г сушеных листьев земляники, мед, фруктоза — по желанию.

Способ приготовления: высушенные листья земляники смешать с черным байховым чаем. Заварить как обычный чай: 3 раза ополоснуть чайник кипятком, засыпать заварку и налить кипяток до половины чайника, настоять под крышкой 5 мин, долить кипяток. Разлить по чашкам, добавив по желанию мед или фруктозу.

Чай с яблоками

Требуется: на 3 чашки: 4 ч. л. черного чая, 2 яблока (лучше антоновских).

Способ приготовления: заварить черный чай: 3 раза ополоснуть чайник кипятком, засыпать заварку и налить кипяток до половины чайника, настоять под крышкой 5 мин, долить кипяток. Яблоки нарезать некрупными кусочками, разложить по чашкам, залить горячим чаем. Чашки накрыть (если нет специальной крышки, можно использовать блюдца) и оставить на 5 мин.

Ананасово-цитрусовый коктейль

Требуется: 1 л ананасового сока, 1 стакан апельсинового сока, 1 л газированной воды, 1 лимон, 2 апельсина, пищевой лед.

Способ приготовления: из лимона выжать сок, смешать его с апельсиновым и ананасовым. Цедру лимона и апельсина нарезать ломтиками и прокипятить в 2 стаканах воды в течение 5 мин, отвар процедить, охладить. Добавить в смесь соков отвар цедры, газированную воду, перемешать. Подать коктейль к столу, добавив в него лед и украсив апельсиновыми ломтиками.

СОЕВАЯ КУЛИНАРИЯ

Соя! Этот продукт относится к растениям семейства бобовых, но по своим качествам и составу она вполне может заменить мясо. Для тех, кто страдает сахарным диабетом, соя — именно тот продукт, который может восполнить потребность в мясной пище тем, кто ее особенно любит.

Прежде чем представить вашему вниманию рецепты приготовления соевых блюд, я хочу познакомить вас с некоторыми понятиями, используемыми в соевой кулинарии.

Окара

Окарой называется концентрат высококачественного, высокоценного, легкоусвояемого соевого белка и пищевой диетической клетчатки, являющийся ценным низкокалорийным диетическим продуктом.

Этот продукт представляет собой неизвлекаемую часть соевых бобов. Он имеет нейтральный вкус, характерную крупитчатую консистенцию и представляет большой интерес для использования в качестве источника пищевой диетической клетчатки и в диетах с пониженной калорийностью.

Используется в составе первых и вторых блюд как добавка, придающая этим блюдам эффект лучшей насыщаемости и не влияющая на их вкусовые качества. Может быть рекомендована для включения в диабетический рацион. Вследствие нейтральности собственного вкуса окара хорошо впитывает вкусоароматические свойства основных компонентов пищи и прекрасно сочетается практически со всеми пищевыми продуктами. На этом свойстве основано ее применение в составе мясных и овощных котлет, в которых она может составлять до 30% массы изделия. Коррекция вкуса и аромата конечного продукта достигается за счет использования специй и прочих вкусоароматических добавок, таких, например, как специальные составы для придания вкуса и аромата мяса говядины, курицы или рыбы, а также традиционных бульонных кубиков различного вкусового направления. Хорошим примером использования окары является ее применение в качестве добавок к традиционным оладьям и блинам, в которых проявляются ее уникальные свойства — продукты приобретают великолепную консистенцию, а при потреблении этих достаточно тяжелых для желудочно-кишечного тракта продуктов не ощущается традиционного дискомфорта.

Тофу

Тофу — это творог из сои (по-китайски «дау-фу», по-японски «то-фу», по-корейски «ту-бу»). Изготавливается из соевого молока путем его сворачивания при помощи минеральных солей или кислот и по существу представляет собой концентрат белков и липидов соевых бобов.

Полученная творожистая масса после отделения от сыворотки и есть тофу. Существует несколько разновидностей тофу, но все они получаются в процессе коагуляции соевого молока часто с применением солей кальция или магния. В результате получается мягкий ароматный творог, спрессованный в массу, внешне напоминающую мягкий сыр.

Тофу обычно производят в малых количествах на небольших заводах по старинной технологии. На современных технологических линиях соевую основу сначала с помощью методов ультрафильтрации концентрируют до определенного содержания сухих веществ и белка. Затем в концентрат дозируют коагулянт (сульфат кальция или другое вещество), после чего концентрат сразу же коагулирует.

Тофу употребляется сам по себе или в составе различных блюд — маринованных или жареных, или в смеси с овощами, специями и мясом. Тофу в настоящее время приобретает все большую популярность на Западе как полноценный продукт питания. Поэтому можно ожидать, что производство этого продукта в скором времени значительно расширится.

Кулинарные рецепты блюд из сои

Котлеты мясные с окарой

Требуется: 250 г мясного фарша (нежирного, лучше телятины), 250 г пищевого соевого обогатителя (окары), 140 г лука, 0,25 стакана соевого молока, 75 г растительного масла, соль по вкусу.

Способ приготовления: пищевой соевый обогатитель, лук пропустить через мясорубку, смешать с мясным фаршем. Добавить соевое молоко, соль. Тщательно перемешать, слепить и жарить на сковороде до готовности.

Биточки из окары

Требуется: 0,5 кг окары, 0,25 стакана соевого молока, 300 г лука, 100 г пшеничной муки, 3 зубчика чеснока, 0,25 стакана растительного масла, соль и перец по вкусу.

Способ приготовления: окару, лук и чеснок пропустить через мясорубку. К полученной массе добавить соевое молоко (можно заменить бульоном), соль, перец, муку. Все тщательно вымешать, сформовать биточки и поджарить на растительном масле. Для гарнира использовать макароны или овощи.

Салат из свеклы с тофу

Требуется: 150 г тофу, 150 г соевого майонеза, 1 кг свеклы, соль по вкусу.

Способ приготовления: свеклу отварить, остудить, крупно нарезать. Тофу нарезать кусочками такой же величины, как и свеклу, можно другой формы. Смешать свеклу и тофу, посолить, заправить соевым майонезом.

Макароны с тофу

Требуется: 400 г макарон, 100 г тофу, 50 г сливочного масла, 1 луковица, соль по вкусу.

Способ приготовления: макароны отварить, промыть холодной водой.

Растопить сливочное масло на сковороде, всыпать макароны, добавить нарезанный лук, нарезанный тофу и тушить все на сковороде на медленном огне, пока лук не подрумянится. Подавать в горячем виде.

Селедочный паштет

Требуется: 200 г сельди, 300 г соевого творога, 100 г репчатого лука, 1 ст. л. сливочного масла.

Способ приготовления: сельдь очистить от костей, пропустить через мясорубку вместе с соевым творогом и луком, добавить размягченное сливочное масло. Все тщательно перемешать.

Бабка блинная из тофу с овощами

Требуется: 14—15 блинов из тофу, 50 г фасоли, 50 г гороха, 100 г цветной капусты, маленький кабачок, 2 клубня картофеля, 1 морковь, 1 ст. л. сливочного масла, 0,2 л соевого молока, 2 яйца, 2 ст. л. тертого сыра, 2 ст. л. соевой сметаны, 1 ст. л. муки.

Способ приготовления: все овощи по отдельности отварить, морковь и картофель нарезать. Для приготовления соуса муку спассеровать на масле, влить молоко, довести соус до густоты сметаны, добавить соль, остудить, добавить тертый сыр, взбитые яйца, сметану и взбить в миксере.

Блины и овощи уложить слоями. Часть блинчиков уложить по стенкам формы так, чтобы ими можно было закрыть бабку сверху. Каждый ряд овощей залить соусом.

Запекать в духовке, пока верхние блины не подрумянятся.

Мамалыга на соевом молоке

Требуется: 400 г кукурузной муки, 1,5 л соевого молока, 200 г брынзы, соль.

Способ приготовления: в кипящее подсоленное молоко всыпать кукурузную муку и варить, помешивая, при медленном кипении 30 мин. Добавить натертую на терке брынзу и размешивать, пока она не соединится с мамалыгой.

Мамалыгу можно подавать горячей со сметаной, сформовать из нее шары и запечь в духовке, обжарить на растительном масле, поджарить с яичницей или омлетом.

Оладьи картофельные с тофу

Требуется: 450 г картофеля, 3 ст. л. пшеничной муки, 2 яйца, 200 г тофу, 70 г маргарина, 2 ст. л. соевого молока, 1 стакан 15%-ной сметаны.

Способ приготовления: очищенный картофель отварить, обсушить и горячим протереть. Затем остудить до 40 °C и соединить с мукой, яичными желтками, протертым тофу, посолить и поперчить, перемешать. Добавить растопленный маргарин, кипяченое соевое молоко и взбитые яичные белки, снова хорошо перемешать,

121

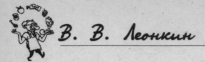

сформовать ложкой оладьи и обжарить их с двух сторон на растительном масле. Подавая, полить сметаной.

Тофу, шпигованный чесноком, в кляре из яиц

Требуется: 450 г тофу, 3 зубчика чеснока, 4 яйца, 4 ст. л. муки, 4 ст. л. растительного масла, специи, соль.

Способ приготовления: тофу нашпиговать чесноком и замочить одним куском на 1 сутки в воде с чесноком, солью и специями. Перед приготовлением нарезать на ломтики, обмакнуть в кляр из яиц, взбитых с мукой и специями, и обжарить до румяной корочки.

Фрикадельки из рыбы с окарой

Требуется: 300 г филе рыбы, 100 г окары, 300 г моркови, 2 луковицы, 2 ст. л. растительного масла, 200 г томатного соуса, соль, зелень.

Способ приготовления: филе рыбы посолить, поперчить, пропустить через мясорубку вместе с 1 луковицей, добавить окару и хорошо вымесить. Сформовать маленькие фрикадельки, обжарить их со всех сторон и сложить в глубокий сотейник. Морковь натереть на крупной терке, лук мелко нарубить, все перемешать, обжарить на масле и выложить на фрикадельки сверху. Залить томатным соусом и тушить 25—30 мин. Подавать горячими с зеленью.

Паста из тофу с орехами и маслинами с растительным маслом

Требуется: 230 г тофу, 0,5 стакана измельченных грецких орехов, 6 ст. л. маслин, нарезанных кружочками, 2 ст. л. лимонного сока, 0,25 ч. л. соли.

Способ приготовления: все продукты смешать миксером до получения однородной кремообразной массы.

Голубцы ленивые соевые

Требуется: 0,5 кг свежей капусты, 2 ст. л. коричневого риса, 300 г размоченного соевого фарша, 1 луковица, 1 ст. л. растительного масла, 4 ст. л. муки, 2 стакана 15%-ной сметаны, 0,5 стакана томатного соуса, соль.

Способ приготовления: капусту нашинковать, фарш обжарить с мелко нарубленным луком, рис отварить до полуготовности. Все посолить, перемешать, сформовать в котлеты, запанировать в муке, обжарить, уложить в жаровню, залить сметаной, смешанной с томатным соусом, и тушить 15 мин.

Подавать со сметаной или в соусе, в котором тушились голубцы. Блюдо можно посыпать мелко нарезанным укропом.

Соевый фарш с картофелем

Требуется: 0,5 кг соевого фарша, 1 средняя луковица, 1 морковь, 1 пучок зелени, 1 кг картофеля.

Способ приготовления: соевый фарш залить кипятком и посолить. Варить 10—15 мин, слить воду и промыть фарш водой. Пока он варится, обжарить на растительном масле тертые лук и морковь. Добавить на сковороду фарш, жарить еще 10 мин и посыпать зеленью. Подавать с вареным картофелем.

Запеканка из тофу с вареным картофелем

Требуется: 1 кг тофу, 800 г картофеля, 1 яйцо, 0,2 л соевого молока, 1 ст. л. растительного масла, соль.

Способ приготовления: тофу растереть с молоком, яйцом и солью. Картофель отварить, обжарить ломтиками и аккуратно смешать с массой из тофу.

Выложить на противень, смазанный маслом, и запекать до золотистой корочки.

Творожный коктейль

Требуется: на 1 стакан готового коктейля: 1 ст. л. твердого или мягкого соевого творога (тофу), 1 ст. л. сахара или меда, 75 мл йогурта, полстакана молока 3,5%-ного (для увеличения калорий можно взять 10%-ные сливки), половина спелого банана

Способ приготовления: смешать все ингредиенты в миксере или блендере.

Вегетарианские котлеты

Требуется: 1 стакан соевого бульона, 0,5 кг окары, 20—50 г проросшей ржи (спраутса), 3 ст. л. сухого молока, 150 г твердого соевого масла, 0,5 чашки соевого соуса (добавить по вкусу), 1 стакан теплой кипяченой воды, приправы по 1 ч. л.

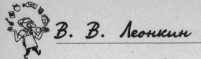

(укроп, петрушка, тмин, душистый горошек, кардамон, имбирь, мускатный орех, глутаминат натрия).

Способ приготовления: смешать окару с измельченным спраутсом, добавить соевый бульон, молоко, соус, масло, специи и воду. Посолить по вкусу, дать постоять не менее 1 ч. Если фарш слишком жесткий, добавить еще воды. Жарить сформованные котлеты до румяной корочки. Из данной пропорции получается около 20 котлет.

Творожное печенье

Требуется: 150—200 г соевого творога (тофу), 150 г твердого растительного масла, 1,5—2 стакана муки (ржаной или пшеничной), 1,5 ч. л. соды, погашенной лимонной кислотой, ванильный сахар (1 ч. л.), фруктоза для обсыпки.

Способ приготовления: порубить масло с мукой, добавить творог, соду, ванилин и, постепенно добавляя муку, вымесить крутое тесто. Раскатать тесто толщиной 0,5 см, нарезать кружочками, обмакивая в сахар или фруктозу, выкладывать на противень, смазанный жиром, и выпекать в течение 15—20 мин при температуре 165—190 °C.

Салат из капусты с тофу

Требуется: 0,5 кг соевого творога (тофу), полкочана белокочанной капусты, 1 луковица средней величины, 4—5 свежих огурцов, 4—5 свежих помидоров, 2 яблока, 0,5 чашки жидкого соевого масла, 100—150 г соевого майонеза, зелень.

Способ приготовления: нашинковать капусту и порезать все остальные овощи. Тщательно растереть творог с майонезом и соевым маслом, смешать эту смесь с овощами, украсить зеленью.

Фаршированные помидоры

Требуется: 5—6 помидоров средней величины, 100 г (0,5 чашки) соевого творога; 3 измельченных зубчика чеснока, специи по вкусу, зелень, соль (или морская капуста) по вкусу, соевый майонез или сметана.

Способ приготовления: аккуратно срезать верхушки помидоров и вынуть мякоть. Смешать растертый творог с мякотью сердцевины помидоров, ввести специи и соль. Начинить этим фаршем помидоры, сверху полить соевым майонезом или сметаной, украсить зеленью.

Холодная закуска

Требуется: 4 ст. л. соевого творога (тофу), 1 ст. л. майонеза, 1 ст. л. соевого плавленого сыра, 1 ст. л. сваренной и натертой свеклы, 1 ч. л. чесночного порошка.

Способ приготовления: тщательно растереть творог с майонезом, добавить соевый плавленый сыр, свеклу и чесночный порошок, украсить зеленью.

Торт творожно-яблочный

Требуется: 0,5 кг соевого творога (тофу), 1 кг очищенных и мелко порезанных яблок.

Способ приготовления: на дно кастрюли, смазанной маслом, выложить порезанные яблоки, а сверху слой творога, затем еще слой яблок. Выпекать в духовке при температуре 130—150 °C 10—15 мин.

При подаче на стол полить джемом, вареньем или медом.

Молочно-фруктовый десерт

Требуется: 1 чашка творога тофу (около 300 г), 1,5 чашки соевого молока, 1 яблоко и половина банана, порезанных кубиками, 2—3 грецких ореха, 1 ч. л. меда, 2—3 ст. л. овсяных или ячменных хлопьев типа мюсли (приготовленных в микроволновке).

Способ приготовления: смешать творог с молоком в однородную массу, прибавить все остальные компоненты. Подавать через 10—15 мин.

Соевый десерт

Требуется: 0,5 кг соевого творога (тофу), 1 ст. л. лимонного сока, 0,3 чашки воды, 2 ст. л. меда, 1 банан, нарезанный кубиками, и щепотка ванилина.

Способ приготовления: растереть творог с водой, лимонным соком и медом, добавить нарезанные бананы и ванилин, перемешать в миксере до однородной массы.

Соевый майонез

Требуется: 300 г творога соевого (тофу), 2 ст. л. растительного масла, 1 ч. л. перечной приправы, соль по вкусу.

Способ приготовления: взбить миксером все компоненты до однородной массы консистенции сметаны. Использовать в качестве соуса ко вторым блюдам или как заправку для салатов.

Суп овощной

Требуется: 100 г сухого соевого фарша, 3—4 клубня картофеля, четверть среднего кочана цветной капусты, 1—2 моркови средней величины, 1—2 небольших луковицы, 3—4 ст. л. растительного масла, 1 ст. л. томатной пасты, соль, зелень, соевая сметана по вкусу.

Способ приготовления: в кастрюлю с кипящей водой засыпать сухой фарш, нарезанный брусочками картофель, цветную капусту, разделенную на соцветия. Вымытые, очищенные и нашинкованные морковь, репчатый лук, корень петрушки, сельдерея слегка спассеровать на растительном масле, добавить томатную пасту и продолжать нагревание 2—3 мин. Через 20—25 мин от начала кипения добавить спассерованные с томатом овощи.

Через 5 мин суп готов.

Соль, зелень, сметану добавить по вкусу.

Кремовый суп

Требуется: 50 г соевого фарша, 50 г сливочного или растительного масла, 90 г муки, 2 бульонных кубика, 1,5 л воды, 200 мл 2,5%-ного молока или 15%-ной сметаны, соль, зелень петрушки.

Способ приготовления: соевый фарш залить кипящим бульоном, приготовленным из бульонных кубиков и 200 мл воды. Дать настояться не менее 4 ч. Обжарить муку на масле до светло-коричневого цвета, хорошо перемешать, добавить замоченный фарш, варить около 20 мин. Поперчить, посолить, добавить молоко или сметану и довести до кипения.

Подавать, посыпав зеленью петрушки.

Суп из сушеных грибов и морской капусты с сосвым соусом

Требуется: 50 г сушеных грибов, 30 г морской капусты, 2 пучка зеленого лука, 1 ст. л. соли, 4 ст. л. соевого соуса, 2 ст. л. растительного масла.

Способ приготовления: грибы и морскую капусту, предварительно вымоченные в воде, мелко нарезать, жарить на масле до полуготовности, заправить соевым соусом. В процеженную через марлю воду из-под вымоченных грибов и морской капусты положить жареные грибы и морскую капусту, прокипятить. Если суп варить с мясом, то мясо предварительно нужно поджарить вместе с грибами, пропитав специями. В грибной суп хорошо добавить картофель, репчатый лук, белокочанную капусту, другие овощи.

Рыба, запеченная с соевым молоком и соевой мукой

Требуется: 1 стакан соевого молока, 2 ст. л. соевой муки, 1 небольшая рыба (треска, пикша, сайда, хек), соль, тмин по вкусу, 1 луковица, 1 средняя морковь, 2 ст. л. растительного масла.

Способ приготовления: рыбу обработать, нарубить небольшими кусочками с кожей и костями. Куски обвалять в соевой муке и обжарить в растительном масле. Морковь нашинковать тонкой соломкой, лук мелко порубить. Сложить в огнеупорную посуду слоями овощи и рыбу, каждый слой слегка посолить и посыпать перцем, тмином. Слои рыбы с овощами залить соевым молоком и поставить в горячую духовку на 15—20 мин. Готовую рыбу выложить в блюдо, полив соусом, образовавшимся при тушении. Украсить зеленью.

Борщ с тофу

Требуется: 3 ст. л. тофу, 2 средней величины свеклы, 1 стакан квашеной капусты, 1 морковь, 1 луковица, 2 л воды, соль по вкусу, 1 ст. л. смеси сухих листьев (смородины и брусники в равном количестве), 2 ст. л. растительного масла.

Способ приготовления: тофу мелко порубить, добавить соль, сухие измельченные листья смородины, брусники, малины и оставить мариноваться на 30 мин. Затем поставить тофу в духовку на 5—7 мин.

Овощи очистить, морковь и свеклу натереть на крупной терке, лук мелко порубить. Овощи смешать с растертыми в порошок сухими листьями малины, брусники, смородины; перемешать, добавить растительное масло и дать настояться 15—20 мин при комнатной температуре (холодная пассеровка). В кипящую воду добавить соль, подготовленные овощи со смесью сухих листьев и растительного масла, квашеную капусту, маринованный тофу. Заготовку борща довести до кипения, варить 5—6 мин и настаивать под закрытой крышкой 20—25 мин.

Суп картофельный

Требуется: 2 л соевого молока, 800 г картофеля, 2 ст. л. сливочного масла, 3 яйца.

Способ приготовления: очищенный картофель нарезать, сварить, откинуть на дуршлаг. Вскипятить соевое молоко, положить туда картофель и довести до кипения. Отдельно развести 1 стакан соевого молока с яичными желтками, взбить, добавить в суп, положив сливочное масло.

Суп-пюре

Требуется: 3 ст. л. соевого фарша, 200 г репчатого лука, 0,5 л воды, 4 дес. л. соевой сметаны, 3 кубика сухого супового концентрата, 1 дес. л. масла, соль, петрушка.

Способ приготовления: нашинкованный лук обжарить на масле, залить горячей водой, опустить сухой суповой концентрат, посолить. Соевый фарш добавить в кипящий суп и варить 10 мин. В готовый суп положить сметану и петрушку.

По желанию в суп можно добавить нарубленное тушеное мясо.

Тофу, тушенный с рисом

Требуется: 230 г тофу, нарезанного брусочками, 300 г риса, 2 ст. л. растительного масла, соль по вкусу.

Способ приготовления: рис и тофу обжарить на растительном масле, добавить воду, растительное масло и соль. Накрыть и довести на большом огне до кипения. Затем огонь убавить и варить накрытым 15—20 мин до размягчения риса.

Суп на соевом молоке гречневый

Требуется: 7 стаканов соевого молока, 0,5 стакана гречневой крупы, 1 ч. л. фруктозы, 1 ст. л. сливочного масла, соль.

Способ приготовления: гречку сварить до полуготовности, постепенно влить кипящее молоко и перемешать, чтобы не было комков. Варить 15 мин. Перед подачей добавить фруктозу, соль, масло. Подать с гренками из ржаного хлеба.

Суп «мисо»

Требуется: 300—400 г порезанного твердого тофу, 7—10 отваренных грибов любого вида, 1 банка бамбуковых ростков (1 стакан), 1 банка порезанных водяных орехов чилим, 1 банка сваренной молодой кукурузы (1 стакан), 4 ст. л. белого уксуса, 4 ст. л. соевого соуса, 2 ст. л. хереса, 2 ст. л. кунжутного масла, зелень по вкусу, 1 л вегетарианского бульона типа «мисо».

Способ приготовления: вскипятить бульон, положить все компоненты, кроме кунжутного масла и зелени, и варить 20—25 мин. Затем прибавить масло, перемешать и подавать с зеленью.

Крокеты с грибами

Требуется: 200 г пшеничной муки грубого помола, 3—4 яйца, 100 г грибов, 3 ст. л. соевого фарша, 2—3 ст. л. растительного масла, 150 г молока, панировочные сухари, соль, мускатный орех, сыр пармезан по вкусу.

Способ приготовления: на разогретом масле поджарить пшеничную муку, помешивая, развести горячим молоком. Снять с огня, добавить нарезанные тушенные на масле грибы и приготовленный соевый фарш, натертый твердый сыр (пармезан), соль, приправы, влить взбитые яйца. Приготовить тесто. Из теста сформовать крокеты в форме валиков длиной 5—6 см, панировать их мукой, яйцами и сухарями. Обжарить на разогретом масле.

Мексиканский гуляш

Требуется: 100 г соевого гуляша, 2 бульонных кубика, 100 г растительного масла, 200 г лука, 40 г муки, 1 ст. л. томатной пасты, 100 г консервированного горошка, 50 г тертого сыра, соль.

Способ приготовления: соевый гуляш залить кипящим бульоном, приготовленным из бульонных кубиков и 250 мл воды, и дать настояться. На масле подрумянить нарезанный лук, добавить соевый гуляш, заправить мукой и обжарить, добавив соль, томатную пасту. Залить отваром и небольшим количеством воды и тушить примерно 20 мин, время от времени помешивая. В конце добавить консервированный горошек и прогреть.

Подавать на стол с рисом, посыпав каждую порцию тертым сыром.

Грибы, тушенные с морковью

Требуется: 180 г сушеных опят или маслят, 0,5 кг моркови, 100 г растительного масла, 2 ст. л. соевого соуса, 2 ст. л. крахмала, 2 ст. л. хереса, 1 ст. л. глутамат натрия, 1 стакан куриного бульона, соль по вкусу, душистый перец по вкусу.

Способ приготовления: сырую морковь очистить, вымыть, нарезать кружочками и отварить до полуготовности. Подготовленные грибы тщательно отжать от воды и нарезать ломтиками. Положить все на сковороду, залить куриным бульоном, добавить соевый соус, херес, глутамат натрия, соль и довести до кипения.

После этого, вращая сковороду слева направо, перемешать продукты, одновременно струйкой вливая крахмал, разведенный холодной водой (1:2), и растительное масло, пережаренное с душистым перцем.

Плов с черносливом и тофу

Требуется: 1,5 стакана коричневого риса, 3 стакана воды, 20 ягод чернослива, соль по вкусу, 2 луковицы, 3 ст. л. сливочного масла, 1 ст. л. тофу, молотая корица на кончике ножа.

Способ приготовления: тофу нарезать мелкими кубиками, посыпать по вкусу солью, молотой корицей и слегка подсушить в горячей духовке.

Замоченный рис засыпать в горячую подсоленную воду, добавить промытый чернослив, мелко нарубленный лук, подготовленный тофу и варить на медленном огне. Когда рис впитает всю воду, кастрюлю с пловом плотно закрыть крышкой и поставить в нагретую духовку на 10—20 мин. При подаче полить растопленным сливочным маслом.

Картофель, фаршированный горохом

Требуется: 0,5 кг картофеля, 0,5 стакана гороха, 2—3 ст. л. растительного масла, 1 луковица, соль по вкусу.

Способ приготовления: крупные клубни картофеля очистить, срезать верхушки с двух сторон, осторожно удалить сердцевину, оставив стенки толщиной 1,5 см. Горох, вымоченный в течение 7—8 ч, отварить, заправить маслом с мелко нарезанным спассерованным луком, посолить, хорошо перемешать и начинить им картофель.

Фаршированный картофель уложить в сотейник, залить водой, в которой варился горох, добавить масло.

Закрыть сотейник крышкой и тушить до готовности.

Платочки

Требуется: 100 г соевого фарша, 50 г соевого соуса, 2 яйца, 100 г лука, сухари, 50 г растительного масла, соль, 0,5 кг слоеного теста, желток и молоко для смазки.

Способ приготовления: соевый фарш залить соевым соусом и 200 мл кипятка и дать настояться. На масле слегка обжарить нарезанный лук, добавить набухший фарш, яйца, соль и слегка загустить сухарями. Слоеное тесто раскатать на доске и разделить на квадратики (со сторонами примерно по 10 см). На середину каждого квадратика положить 1 ч. л. фарша, один уголок пригнуть к другому, края хорошо защипать. Платочки положить на сухой противень, смазать желтком, взбитым с молоком, и выпекать в хорошо прогретой духовке.

Соевый гуляш оригинальный

Требуется: 100 г соевого гуляша, 100 мл соевого соуса, 2 яйца, 2 ч. л. крахмала, 50 мл десертного вина, 200 г белокочанной капусты, 150 г репчатого лука или лука-порея, томатный соус, 0,5 ч. л. фруктозы, соль, 100 мл растительного масла.

Способ приготовления: соевый гуляш залить соевым соусом и 200 мл кипятка и дать настояться. Слить отвар, соевый гуляш посыпать крахмалом, добавить яйца, соль и 0,5 ч. л. фруктозы, перемешать, положить в разогретое масло и подрумянить. Добавить ошпаренную кипятком и нарезанную кубиками капусту, нарезанный кубиками лук и жарить еще 1 мин. В конце долить вино и немного отвара и еще немного потушить.

Готовое блюдо полить разогретым растительным маслом, с добавлением небольшого количества томатного соуса.

Подавать с рисом.

Блины соевые

Требуется: вода 1 л, 250 г соевой муки, 1 ч. л. соды с лимонной кислотой, растительное масло, тертые тыква и яблоки.

Способ приготовления: замесить тесто, добавить потертые на терке тыкву и яблоки, влить масло и выпекать.

Запеканка из соевого мяса

Требуется: 0,5 кг размоченного соевого мяса, 2 ст. л. муки, 2 ст. л. сметаны, 2 яйца, 1 луковица, 2 зубчика чеснока, 2 стакана зеленого горошка, 1 стакан нарезанной вареной моркови, перец, соль.

Способ приготовления: соевое мясо, лук, чеснок пропустить через мясорубку, добавить желтки, муку, сметану, посолить, поперчить, перемешать. Горошек и морковь перемешать со взбитыми белками. Готовый фарш положить в форму, поместить внутрь его начинку из овощей. Запекать в духовке 45—60 мин.

Салат из тофу

Требуется: 450 г тофу, 2 красных или желтых перца, 2 луковицы, 2 ст. л. нарезанной свежей петрушки, 1 ч. л. сухого базилика, 1 ч. л. сухого молотого чеснока, 0,25 стакана соевого майонеза.

Способ приготовления: смешать в миске размятый, раскрошенный или крупно нарезанный тофу, нарезанные перец и лук, покрошить петрушку, добавить базилик и сухой чеснок, тщательно перемешать и заправить майонезом.

Соевое оливье

Требуется: 400—500 г тофу, банка зеленого горошка, майонез, пучок зелени (желательно петрушка).

Способ приготовления: тофу нарезать кубиками, добавить горошек, зелень, заправить майонезом. Добавка других ингредиентов ведет к ухудшению вкуса (лука, например).

Винегрет с соей

Требуется: 0,5 стакана соевых зерен, 5—6 клубней картофеля, 1—2 свеклы, 1—2 соленых огурца, 1—2 яблока, 1—2 луковицы, 2 яйца, 0,5 стакана растительного масла, 0,5 стакана соевой сметаны или майонеза, зелень, лимонный сок, фруктоза.

Способ приготовления: картофель и свеклу отварить в кожуре, остудить, очистить, нарезать кубиками, остальные продукты мелко нарезать.

Лук подрумянить на растительном масле. Все перемешать, добавить вареные соевые зерна, сбрызнуть лимонным соком, залить сметаной или майонезом, украсить зеленью и рубленым яйцом.

Тофу, жаренный со специями

Требуется: 450 г тофу, разрезанного на 8 частей, 2 стакана панировочных сухарей, 0,5 стакана горчицы, 0,5 стакана рубленого зеленого лука, 1 ч. л. чабреца, 0,25 пачки маргарина, 3 ст. л. растительного масла.

Способ приготовления: смешать в неглубокой посуде горчицу, зеленый лук, чабрец. Отдельно на сковороде разогреть маргарин и растительное масло. Взять 2 ст. л. жировой смеси и смешать с горчичным соусом. Обмакнуть ломтики тофу в соус, запанировать в сухарях и обжарить с обеих сторон на сковороде.

Винегрет с соевым майонезом

Требуется: 3 ст. л. соевого майонеза, 2 клубня картофеля, 1 свекла, 1 средняя морковь, 1 соленый огурец, 2 ст. л. растительного масла, соль.

Способ приготовления: в кастрюлю слоями положить нарезанный кружочками очищенный картофель, натёртые свеклу и морковь. Залить горячей водой, покрыв только картофель, чтобы он варился в отваре, а свекла и морковь на пару, быстро довести до кипения, уменьшить огонь. Настаивать без нагревания 10—15 мин.

Овощи охладить в отваре, добавить мелко нарубленные лук, огурец, квашеную капусту и перемешать. Заправить соевым майонезом. Выложить в салатницу. Украсить зеленью.

Бутербродная паста из тофу и карри

Требуется: 0,25 стакана овощного отвара или бульона, 450 г твёрдого нежирного тофу, нарезанного мелкими кубиками, 1 небольшая мелко нарезанная луковица, 1 ст. л. сухого соуса карри, соль и перец по вкусу.

Способ приготовления: на большой сковороде на медленном огне разогреть овощной отвар или бульон. Добавить кубики тофу и пассеровать их до полной готовности. Положить лук и карри. Хорошо перемешать, так, чтобы кубики тофу оказались запанированными. Добавить по вкусу соль и перец.

Подавать пасту в хлебных пакетиках пита. При желании их можно украсить брюссельской капустой или кусочками помидора.

Салат капустно-соевый

Требуется: 1 ст. л. тофу, 0,25 кочана нашинкованной белокочанной капусты, 0,5 луковицы, 2 ст. л. рубленых яблок, 0,3 стакана маринованной свеклы, 2 ст. л. маслин, 2 ст. л. сливочного масла, соль, перец, зелень.

Способ приготовления: тофу нарезать ломтиками, добавить соль, перец и подсушить в горячей духовке 5—7 мин. Охладить. Вымытую капусту нашинковать, смешать с мелко нарезанным луком. Посолить, добавить маринованную свеклу, нашинкованные очищенные яблоки и маслины без косточек. Подготовленный тофу полить растопленным маслом, осторожно перемешать, выложить в блюдо. Подавая, украсить дольками маринованной свеклы, зеленью петрушки.

Морковь, жаренная с сельдереем

Требуется: 400 г моркови, 200 г сельдерея, 2 ст. л. хереса, 1 ч. л. глутамата натрия, 1 ст. л. соевого соуса, 100 г масла растительного, соль по вкусу.

Способ приготовления: морковь и сельдерей промыть, очистить, нарезать соломкой, ошпа-

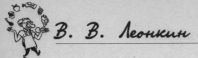

рить кипятком и откинуть. На сильно нагретую сковороду с небольшим количеством масла положить подготовленные морковь, сельдерей и, неоднократно встряхивая сковороду, пожарить коренья. После этого добавить соевый соус, вино, глутамат натрия, соль.

Салат из кабачков и соевых семян

Требуется: 1 молодой кабачок небольших размеров, 1 вареная свекла, 100 г незрелых семян сои, 1—2 ст. л. натертого хрена, 1 луковица, 0,5 стакана соевого майонеза или майонезной салатной заправки, соль по вкусу.

Способ приготовления: молодые семена сои отварить в подсоленной воде, затем дать стечь и остудить. Кабачок и вареную свеклу натереть на крупной терке, добавить соевые семена, хрен, мелко нарезанный лук. Посолить по вкусу, перемешать с майонезом или майонезной салатной заправкой.

Крем из тофу и орехов со сметаной

Требуется: 300 г тофу, 200 г грецких орехов, 50 г сахара, 50 г соевой сметаны, ванилин или корица.

Способ приготовления: тофу и орехи пропустить через мясорубку, добавить сметану, сахар, ванилин или корицу и хорошо перемешать.

Запеканка из яиц, тофу и овощей

Требуется: 3 ст. л. тофу, 4 яйца, 4 ст. л. зеленого консервированного горошка, 2 луковицы, 2 ст. л. растительного масла, 0,5 стакана молока, соль по вкусу.

Способ приготовления: к сырым яйцам добавить мелко рубленный лук, тофу, зеленый горошек, соль. Массу взбить, постепенно доливая молоко. В смазанную растительным маслом сковороду вылить полученную массу. Запекать в духовке. Подавать запеканку в горячем виде.

Овощное рагу с цуккини

Требуется: 350 г вермишели, 450 г цуккини, нарезанного кружочками, 170 г грибов, разрезанных на 4 части, 170 г очищенного гороха, 2 стакана подогретого томатного соуса (любого), 2 ст. л. растительного масла, 230 г тофу, соль по вкусу, острый тертый сыр.

Способ приготовления: сварить вермишель. В разогретое на сковороде растительное масло выложить все овощи и грибы и жарить в течение 5 мин, постоянно перемешивая. Добавить и размешать тофу, посолить. Готовое рагу вылить на блюдо с вермишелью. Отдельно подавать томатный соус и острый сыр.

Соевое жаркое

Требуется: 2 стакана соевых зерен, сваренных и протертых, 2 стакана тертого сыра, 2 ст. л. пшеничной муки, цедра 1 лимона, соль, 1 луковица, 1 ст. л. растительного масла, 1 ст. л. сливочного масла, панировочные сухари.

Способ приготовления: смешать сою с сыром, добавив немного панировочных сухарей, соль, цедру. Смешать с луком, поджаренным на растительном масле. Полученную смесь поместить в промасленную форму, посыпать панировочными сухарями, положить сверху кусочки сливочного масла и запекать в духовом шкафу 20 мин.

Начинка для бутербродов, сандвичей или пиццы

Требуется: 200 г твердого тофу, 1 луковица, 1 морковь, 1 болгарский перец, 2 зубчика чеснока, зелень сельдерея, 2—3 ст. л. соевого соуса, 1 ст. л.

лимонного сока, 1 ст. л. оливкового или твердого соевого масла, соль по вкусу, 8 ломтиков хлеба.

Способ приготовления: нарезать овощи и потушить 10 мин в масле на среднем огне. Добавить соевый соус, лимонный сок, приправы. Тофу порезать на 4 ломтика и погреть в духовке или микроволновой печи (или обжарить). На ломтик хлеба положить тофу, а сверху тушеные овощи. Закрыть вторым ломтиком.

Жаркое из тофу и брокколи

Требуется: 400 г (2 чашки) тофу, порезанного кусочками, 2 чашки вареного риса (можно коричневого), 1 чашка свежих ростков бобов, 1 красный и 1 зеленый перец, 1 луковица, порезанная полукольцами, 3 чашки вареной брокколи, 0,25 ч. л. золотого имбиря, 4 ч. л. кукурузного крахмала, 2 ст. л. соевого соуса, 2 ст. л. хереса, чеснок по вкусу, 0,6 чашки воды.

Способ приготовления: смешать вместе соевый соус, херес, кукурузный крахмал, имбирь и развести водой — это соус. На разогретую сковороду положить чеснок, прогреть его в течение 15 с, прибавить брокколи на 3 мин, затем лук и перец — на 3 мин и, наконец, ростки бо-

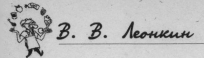

бов — на 1 мин. Отодвинуть овощи к краям, перемешать приготовленный соус и вылить его в центр и перемешивать до загустения (в течение 1 — 2 мин). Смешать овощи с соусом, прибавить тофу и прогреть, подавать с рисом.

Тофу Гефнера

Требуется: 1—1,5 стакана мягкого тофу, 1 ст. л. измельченного имбиря, 2 ст. л. порезанного зеленого лука, 2 ч. л. соевого соуса, 2 ст. л. растительного масла.

Способ приготовления: разогреть на сковородке масло, положить имбирь и лук и прогреть, положить упаковку тофу, уменьшить огонь и перемешивать. Прогреть в течение 5 мин, полить соевым соусом и подождать 1 мин. Использовать для сандвичей.

Тофу в стиле «буффало»

Требуется: 400 г твердого тофу, 1 ст. л. чесночного порошка, 0,5 чашки томатного соуса, 0,25 чашки твердого соевого масла.

Способ приготовления: нарезать тофу полосками толщиной 0,5 см и посыпать чесночным порошком. Обжарить тофу на большом огне в масле до появления румяной корочки, все время переворачивая. Растопить масло и смешать его с томатным соусом.

Положить обжаренный тофу в эту смесь, так, чтобы весь кусочек был покрыт смесью масла с соусом.

Подавать с зеленью и гарниром по вкусу.

Халва из соевых бобов

Требуется: 0,5 стакана соевых бобов, 0,5 стакана фруктозы, 1 стакан соевого масла, 1,5 стакана воды, грецкие орехи и корица по вкусу.

Способ приготовления: соевые бобы хорошо промыть, замочить в холодной воде на 6—8 ч, пропустить через мясорубку. Полученную массу обжарить на соевом масле до светло-коричневого оттенка.

Из фруктозы и воды приготовить сироп и, пока он не остыл, добавить пережаренную смесь.

Варить, непрерывно помешивая, до тех пор, пока не станет выделяться масло.

Массу выложить в формочки, сверху посыпать корицей и рублеными орехами.

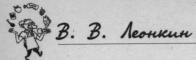

Соевый торт с соевыми орешками

Требуется: 3 яйца (около 100 г по весу, взять за весовой стандарт), просеянная соевая мука — половина веса яиц (около 50 г), белая мука — то же количество, 100 г сливочного масла, 1,75 ч. л. пекарского порошка, 0,25 ч. л. соли, 0,75 стакана молока, 1 стакан соевых орешков, изюм по вкусу.

Способ приготовления: взбить масло и сахар в пышную массу, прибавить яйца и снова взбить. Прибавить туда смесь белой и соевой муки и пекарского порошка, смешать. Прибавить ванильную эссенцию к молоку и развести им массу до однородного жидкого состояния. Прибавить изюм и соевые орешки и взбить. Вылить в форму и выпекать при температуре 180 °C. Когда остынет, украсить глазурью.

Соевые булочки с финиками

Требуется: 2 стакана мелко порезанных фиников, 0,5 стакана соевых орешков, 0,5 чашки фруктозы, 3 ст. л. растительного масла, горячая вода, 0,75 стакана соевой муки, 0,75 стакана муки, 1 ч. л. соды, 1 ч. л. ванильной эссенции, 1 ч. л. порошка корицы, 0,25 ч. л. соли.

Способ приготовления: замочить измельченные финики в горячей воде со щепоткой соли. Смешать фруктозу и растительное масло, взбить, прибавить финиковую массу, затем ванильную эссенцию, порошок корицы и соль. Хорошо вымесить, прибавить к этому 1 чашку смеси соевой и белой муки и взбить. Остаток смеси муки смешать с соевыми орешками и эту смесь тоже прибавить к тесту, вымесить. Заполнить тестом смазанные жиром формочки для булочек и выпекать на среднем огне 30—40 мин.

Соево-арахисовое печенье

Требуется: 1 стакан белой муки, 0,5 стакана соевой муки, 0,25 ч. л. соли, 1 ч. л. пекарского порошка, немного молока, 3 ст. л. растительного масла, 3 ст. л. фруктозы, 1 яйцо, 4 ст. л. порезанных арахисовых орехов, 4 ст. л. размолотых соевых орешков (это обжаренные до светло-коричневого цвета бобы сои).

Способ приготовления: взбить масло с фруктозой, прибавить яйцо и соевые орешки, молоко, белую и соевую муку, смешанные вместе с пекарским порошком, и замесить тесто. Это тесто класть ложкой на противень, смазанный жиром, и сверху посыпать арахисом. Выпекать при 180 °C 15—20 мин.

Полумесяцы из сои с корицей

Требуется: 1 стакан соевой муки, 1,5 стакана белой муки, 1 ч. л. пекарского порошка, 0,5 ч. л. соли, 2 ч. л. порошка корицы, 0,5 стакана сливочного масла, 0,5 стакана фруктозы или меда, 1 яйцо, 1 ч. л. ванильной эссенции, 1 стакан поджаренной и измельченной сои (соевых орешков).

Способ приготовления: смешать муку, пекарский порошок, соль и корицу. Соединить масло с фруктозой или медом, добавить яйцо и ванильную эссенцию и хорошо вымесить. Добавить сюда смесь муки и замесить тесто. Поставить его в холодильник на 2 ч. Раскатать из теста маленькие колбаски длиной 5 см и 2—3 см толщиной на вощеной бумаге и заострить концы. Обвалять их в соевых орешках и положить на противень, смазанный жиром, придав им форму полумесяцев.

Выпекать при средней температуре (около 200 °C) в течение 8—10 мин.

Бургеры с соевым фаршем

Требуется: 1 стакан соевого фарша, 1 стакан воды, 0,75 стакана соевого молока, 0,75 стакана молотых грецких (или арахисовых) орехов,

1 стакан свежих хлебных крошек, 0,25 стакана порезанного лука, 0,5 ч. л. чесночного порошка, 2 ст. л. соевого соуса, 1 ч. л. сладкого базилика или пряности по вкусу.

Способ приготовления: фарш предварительно размочить в воде. Смешать все компоненты и хорошо вымесить в однородную массу. Разделить на порции и жарить с обеих сторон или выпекать в духовке на противне при 160 °C. Перед готовностью сбрызнуть соусом и подавать на ломтиках белого хлеба с майонезом и дополнениями по вкусу (латук, томаты, лук, пикули, сезонная зелснь).

Тосты из тофу по-французски

Требуется: 1 стакан (200 г) мягкого тофу, 0,25 стакана сосвого молока, 0,25 стакана воды, 1 ч. л. ванилина, 1 ч. л. корицы, 1 ст. л. меда.

Способ приготовления: смешать тофу, соевое молоко, ванилин, корицу и воду миксером до состояния взбитых яиц. Окунать кусочки хлеба в эту смесь и обжаривать до слегка румяной корочки.

Сверху положить фрукты и полить сиропом или медом.

Напиток из сухого соевого молока

Требуется: 1—1,5 ст. л. сухого соевого молока, 0,5 ч. л. фруктозы, 1 стакан воды.

Способ приготовления.

В а р и а н т 1: сухое соевое молоко смешать с фруктозой, добавляя понемногу воду (при постоянном помешивании), до получения однородной смеси. Затем влить оставшуюся воду, довести до кипения. Подавать горячим или охлажденным.

В а р и а н т 2: сухое соевое молоко смешать с сахаром, добавить 20—30 мл (2—3 ст. л.) воды и тщательно перемешать до получения однородной массы. Затем смесь желательно оставить на 5—7 мин для набухания. После этого ввести оставшуюся воду, хорошо перемешать, довести до кипения.

Подавать горячим или охлажденным.

Соевый крем

Требуется: 2 стакана соевого молока, 1 яйцо (разделенное на желток и белок), 0,5 стакана сорбита, 2 ст. л. желатина.

Способ приготовления: вскипятить соевое молоко, снять с огня, охладить. Добавить в молоко взбитый яичный желток, все время помешивая. Добавить сорбит и хорошо перемешать.

Варить эту смесь до загустения. Снять с огня. Растворить желатин в 1 чашке воды, прибавить раствор желатина к этому крему и варить чуть больше 1 мин. Влить в формочку, охладить на воздухе.

Затем охладить в холодильнике, полить взбитым яичным белком.

Прохладительный напиток соевый

Требуется: 5 стаканов соевого молока, 20 ядер миндаля, 1 ст. л. анисового семени, 1 ст. л. мака (необязательно), 1 ч. л. порошка кардамона, 1 ст. л. семян дыни, 10 — 12 лепестков розы, фруктоза по вкусу.

Способ приготовления: промыть миндаль и пряности, размолоть. Вскипятить соевое молоко, прибавить к нему миндальную пасту и фруктозу. Хорошо перемешать и остудить. При подаче на стол можно добавить кубики льда.

Очень популярный прохладительный напиток в странах Востока.

Пицца

Для теста: 100 г (0,5 стакана) твердого соевого масла, 2—2,5 стакана муки (ржаной или пшеничной), 0,5 стакана воды, 1 ч. л. соевого соуса.

Для начинки: 1 порезанная луковица, 2—3 ст. л. отваренных грибов, 2—3 ст. л. замоченного и отжатого фарша ТСП, 2 стручка болгарского перца, 3 свежих помидора, порезанных дольками.

Для соуса: 100 г (полчашки) майонеза, 1 ч. л. растительного масла, томатный соус, 1—2 зубчика чеснока, 0,5 чашки (100 г) соевого творога тофу, 1 ч. л. соевого соуса, 1 ст. л. муки, соль по вкусу.

Способ приготовления:

Тесто: порубить соевое масло с 1 чашкой муки, добавить соевый соус, воду и замесить крутое тесто. Раскатать лепешку толщиной 0,5—1 см и положить на сковороду, приподняв бортики для начинки.

Начинка: лук поджарить, прибавить отваренные грибы и припустить в растительном масле. Добавить туда отжатый фарш ТСП и специи и слегка обжарить. Положить начинку на лепешку из теста и полить соусом.

Соус: тщательно смешать майонез с тофу, добавить остальные компоненты и этой смесью полить начинку.

Выпекать пиццу при температуре 160—190 °C в духовке в течение 15—20 мин. Украсить зеленью и подавать.

Форшмак из овощей с окарой

Требуется: 100 г окары, 100 г капусты, 100 г картофеля, 30 г филе соленой или копченой сельди, 1 луковица, 0,25 батона, 0,25 стакана молока, 1 ст. л. сливочного масла, 1 ст. л. сухарей, 40 г тертого сыра, соль.

Способ приготовления: капусту и картофель сварить, батон замочить в горячем молоке. Все пропустить через мясорубку вместе с сельдью и луком, добавить окару, соль и тщательно перемешать. Выложить на смазанный маслом и посыпанный сухарями противень и запечь. Подавать рекомендуется со сметаной и хреном или майонезом.

Сырные шарики

Требуется: 4 ст. л. окары, 4 ст. л. пшеничной муки, 1 взбитое яйцо, 0,25 ч. л. разрыхлителя, 0,3 ч. л. соли, 2 ст. л. протертого соевого творога или сыра, немного соевого молока.

Способ приготовления: смешать все компоненты, если нужно, добавить молоко. Накладывая тесто ложкой, обжаривать на растительном масле до румяной корочки.

Салат рисовый

Требуется: 1 чашка размоченного фарша ТСП, 1 чашка сваренного риса, 1—2 свежих огурца, 0,5 чашки свежей окары, 2—3 ст. л. соевого соуса, специи по вкусу, 0,5 чашки соевого майонеза, столовая зелень.

Способ приготовления: размоченный фарш ТСП прокипятить в течение 3—5 мин и отбросить, дать стечь. Фарш, сваренный рис, соевый соус и специи по вкусу хорошо перемешать, ввести окару, мелко порезанный огурец и, заправив майонезом, украсить зеленью.

Булочки

Требуется: 1 чашка соевого творога (тофу), 1 чашка окары, 2 ст. л. твердого растительного масла, 1 ч. л. соевого соуса, 0,5 чашки отрубей, 1,5 чашки муки, 0,6 чашки минеральной воды или соевой сыворотки, 1 ч. л. меда.

Способ приготовления: растереть творог и окару с растительным маслом, ввести отруби и муку, добавить мед и, подливая воду, замесить тесто. Дать тесту постоять в течение 30—40 мин, сформовать булочки и выпекать на медленном огне в духовке в течение 1,5—2 ч.

Песочное тесто с окарой

Требуется: 1 чашка муки (ржаной или пшеничной), 0,5 чашки твердого растительного масла (твердое соевое масло или смесь твердых растительных масел), 1 чашка соевого майонеза или сметаны, 1 чашка окары, 2 ст. л. кипяченой воды.

Способ приготовления: порубить муку с маслом, затем добавить майонез или сметану, окару и вымесить крутое тесто, добавляя воду по мере необходимости.

Выдержать тесто 30 мин в холодильнике.

Разделить на 2 части, сформовать в виде круга (или выпекать на сковороде) и выпекать в духовке при температуре 190—200 °C 15—20 мин.

Остудить, смазать кремом или джемом и подавать на десерт.

161

Вафли

Требуется: 1 кг окары, 100 г фруктозы, 1 чашка муки, 2—3 чашки свежего соевого молока, щепотка ванилина, 50 г твердого соевого масла (или маргарина), 3 яйца (или 2—3 ст. л. соевого протеина).

Способ приготовления: смешать все продукты так, чтобы получилась масса густоты сметаны. Выпекать в электровафельнице, тщательно смазывая ее перед выпечкой жиром.

Пирожное «картошка»

Требуется: 2 чашки окары, 3 ст. л. меда, 0,5 ч. л. какао, 3 ст. л. твердого соевого масла, 3 ст. л. сухого соевого молока, кокосовая стружка.

Способ приготовления: смешать мед, какао, масло и сухое соевое молоко и осторожно растопить до однородной массы. В теплую смесь ввести окару и скатать в виде шариков. Обвалять в кокосовой стружке и поставить в холодильник.

Запеканка с окарой

Требуется: 500—600 г окары, 2 ст. л. сухого молока, 1 ст. л. меда, 0,5 чашки овсяных или ячменных хлопьев, 1 ст. л. клейковины (или соевого протеина), 1 чашка соевой сыворотки, 2 яблока (натертых или мелко порезанных), 1 ст. л. фруктозы, растительное масло.

Способ приготовления: добавить к окаре сухое молоко, 1 ст. л. меда, хлопья и сыворотку, так чтобы получилось не слишком крутое тесто.

Выложить половину массы на смазанную растительным маслом сковородку, положить измельченные яблоки, затем закрыть второй половиной массы.

Выпекать в духовке при температуре 170— 180 °C.

Оладьи из окары

Требуется: 1 кг окары, 2—3 яйца (или 1 ст. л. соевого протеина), 3 стакана соевого молока (можно воды), 1 чашка муки, 0,5 чашки фруктозы, 1 ч. л. соли, щепотка ванилина.

Способ приготовления: смешать все компоненты, разогреть сковороду, сформовать столовой ложкой оладьи, выложить на сковородку и обжарить на растительном масле.

Подавать с медом, вареньем.

163

Соус из тофу «Дальневосточный»

Требуется: 230 г тофу, большой пучок зеленого лука, 2 ст. л. растительного масла , 1 ст. л. лимонного сока, 0,25 ч. л. имбиря, 0,25 стакана грецких орехов.

Способ приготовления: нарезать небольшими кусочками тофу, порубить лук, измельчить грецкие орехи. Все ингредиенты смешать и взбить миксером до получения однородной массы.

Варенье с соевым сыром тофу

Требуется: 2 ст. л. любого варенья, 1 ст. л. тофу, 2 грецких ореха.

Способ приготовления: тофу нарезать мелкими кубиками, добавить измельченные в порошок ядра орехов и перемешать так, чтобы орехи облепили кубики тофу. Поставить в духовку на 5—7 мин. Охладить. Приготовленные кубики смешать с вареньем и подавать к чаю.

Пирог из тофу со шпинатом

Требуется: 300 г свежего шпината, 670 г тофу, 3 луковицы, 3—4 измельченных зубчика чеснока, 2 ст. л. лимонного сока, 0,25 ч. л. соли, масло растительное.

Способ приготовления: разогреть духовой шкаф. На большой сковороде немного обжарить в масле шпинат на среднем огне (он должен осесть и потемнеть). В другой сковороде обжарить лук и чеснок, затем добавить в шпинат и, помешивая, потушить 1—2 мин. Соединить с растертым тофу, добавить соль и лимонный сок. Поместить смесь в смазанную маслом форму или сковороду и выпекать около 30 мин, пока пирог не зарумянится.

Бефстроганов в сметанном соусе

Требуется: 100 г соевых отбивных, 1 луковица, 1 средний помидор.

Способ приготовления: отваренные соевые отбивные нарезать, как бефстроганов. Обжарить в пассерованном луке с добавлением томата (кетчупа) в течение 5—7 мин. Готовый бефстроганов украсить и подавать на стол с гарниром.

БЛЮДА ИЗ РЫБЫ И МОРЕПРОДУКТОВ

В этом разделе я хочу познакомить вас с многими рецептами приготовления блюд из разных видов рыбы и морепродуктов. Для диабетиков рыба, как правило, всегда предпочтительнее мясных продуктов и на нее меньше ограничений в потреблении. Тем не менее блюда из рыбы и морепродуктов часто бывают намного вкуснее мясных блюд. Рыбные блюда, особенно из нежирных сортов рыбы, отличаются отменным вкусом. Поэтому ознакомьтесь с предлагаемыми рецептами, и вы непременно найдете для себя что-то вкусное и полезное!

Рыба запеченная

Требуется: 3 тушки хека, 1 лимон, укроп, 3—4 помидора, 1 стакан соевой сметаны, 2 зубчика чеснока, 100 г нежирного сыра, панировочные сухари, соль.

Способ приготовления: рыбу промыть, аккуратно отделить от хребта, не повредив спинку, посолить и поперчить со всех сторон по вкусу, полить выжатым из лимона соком. Противень смазать кукурузным маслом, выложить рыбу, сверху на рыбу положить по 2 веточки укропа. Помидоры обдать кипятком, снять кожицу, разрезать пополам и выдавить сок. Мякоть нарезать мелкими кубиками и добавить в сметану, предварительно смешанную с измельченным чесноком и 50 г натертого сыра. Полученной массой смазать рыбу внутри и сверху. Верх рыбы затем посыпать оставшимся сыром и панировочными сухарями. Запекать рыбу в духовке 30—35 мин при температуре 200 °C.

Котлеты из горбуши

Требуется: 1 кг свежей горбуши, 2 горсти сухих грибов, 2 луковицы, 1/2 батона белого хлеба, 2 ч. л. муки, панировочные сухари, душистый перец, соль, черный перец, лавровый лист.

Способ приготовления: грибы, предварительно замоченные на 2 ч, отварить с добавлением соли и лаврового листа. Мясо горбуши или другой рыбы отделить от костей, провернуть через мясорубку с луком и отваренными грибами. Добавить мякиш белого хлеба, размоченный в воде. Посолить по вкусу. Сформовать котлеты и обвалять в муке или панировочных сухарях. Жарить в растительном масле до готовности. В грибной отвар добавить душистый и черный перец и загустить мукой. Котлеты подавать с отварным рисом под грибным соусом.

Пирог из рыбы

Требуется: 1 кг дрожжевого теста, 1 кг рыбы мороженой (лучше горбуши, но можно использовать любую или даже консервы), 3 луковицы, 5 клубней картофеля, зелень (петрушка/укроп и т. п.), пряности (душистый перец, сушеная зелень), 50 г растительного масла.

Способ приготовления: на смазанном маслом противне размять 40% теста. Отступив от края, положить лук, нарезанный толщиной 3—5 мм. Поверх лука положить (также плотно) нарезанную кусочками рыбу. Посолить, поперчить. Рыбу покрыть кружочками сырого картофеля. Посолить. Добавить пряности и зелень. Оставшимся тестом накрыть пирог сверху. Смазать сверху растительным маслом. Выпекать в течение 30—45 мин.

Пироги из горбуши

Требуется: 0,5 кг дрожжевого теста, 1 кг горбуши, лук, 2 яйца, 1 банка соевого майонеза, зелень.

Способ приготовления: на дрожжевое тесто, размятое по всему противню, выложить размельченную, отваренную, подсоленную горбушу, предпочтительнее без костей. Сверху положить жареный лук и залить соусом. Выпекать до золотистой корочки.

Соус: яйца взбить с майонезом, добавить зелень и специи по вкусу.

Рыба, тушенная с картофелем

Требуется: 500 г горбуши (трески, окуня морского, сазана, ставриды), 1 луковица, четвертинка корня сельдерея, 6—7 клубней картофеля, 1,5 моркови, 0,5 л 1%-ного молока, 0,5 ч. л. соли, зелень петрушки или укропа по вкусу.

Способ приготовления: подготовленные овощи нарезать мелкими кубиками. Репчатый лук и сельдерей обжарить, переложить в порционные горшочки, добавить картофель, морковь, соль, молоко и тушить 15—20 мин в духовке, затем на овощи положить кусочки филе массой по 20—25 г и довести до готовности. Подать в горшочках, посыпав мелко нарезанной зеленью.

Соленая рыба быстрого приготовления

Требуется: 1 кг красной рыбы, 1 стакан теплой воды, 1 ст. л. соли с верхом, гвоздика (по вкусу).

Способ приготовления: нарезать рыбу кусочками толщиной 6—7 мм. Вскипятить воду, добавить все специи, остудить до комнатной температуры, залить рыбу этим рассолом. Через 2 ч рассол слить, оставив специи.

Калья (старинное русское первое блюдо) по-современному

Раньше для кальи использовали только жирную рыбу, преимущественно красную, и наряду с рыбой в нее клали икру. Сейчас калью можно приготовить из морской рыбы, традиционно применявшейся на русском Севере, например из палтуса, зубатки. В калье используется больше пряностей, чем в ухе. Калья гуще ухи, бульон в ней немного острее и плотнее по консистенции, а по количеству его всегда меньше, чем в ухе.

Требуется: 1,5 кг рыбы, 1,5—1,75 л воды, 2 соленых огурца, 1 стакан огуречного рассола, 3—4 клубня картофеля, 0,5 лимона, 2 луковицы, 1 стебель лука-порея, 1 петрушка (корень и зелень), 1 морковь, 3 лавровых листа, 1 ст. л. укропа, 5—6 тычинок шафрана, 1 ст. л. свежего или 1 ч. л. сухого эстрагона, соль.

Способ приготовления: в подсоленный кипяток положить нарезанный кубиками картофель, мелко нарезанный лук, соломкой нарезанные морковь и петрушку, прокипятить 10—15 мин на умеренном огне до полуготовности картофеля, затем заложить все пряности, кроме укропа и части порея. Затем в бульон добавить отдельно прокипяченный огуречный рассол, нарезанные кубиками соленые огурцы, после чего опустить рыбу, нарезанную крупными кусками. Варить от 8 до 20 мин в зависимости от сорта рыбы. За 1 мин до готовности заправить укропом и оставшимся пореем, эстрагоном. В уже снятую с огня калью выдавить сок лимона и дать ей настояться.

Рыба по-казачьи

Требуется: 0,5 кг филе любой рыбы (трески, хека, зубатки и т. д.), 3 крупных клубня картофеля, 2 луковицы, соль, 100 г майонеза.

Способ приготовления: филе рыбы выложить на блюдо для запекания в духовке. Посолить, поперчить. Сверху кольцами нарезать лук, кружочками — картофель. Все это посолить по вкусу. В майонез рекомендуется добавить раздавленный зубчик чеснока. Залить блюдо майонезом и поставить в духовку до появления вкусного аромата и коричневой (не черной!) корочки.

Рыбная солянка с грибами

Требуется: 1 кг морского окуня или зубатки, 3,5 л воды, 8 белых грибов или 15—20 шампиньонов (можно сушеных или маринованных), 1 стакан квашеной капусты, 1 соленый огурец (при отсутствии каперсов — огурцов больше), 1 луковица, 2 ст. л. пшеничной муки, 5—7 горошин душистого перца, огуречный рассол по вкусу, 3—5 маслин или каперсов, рубленая зелень.

Способ приготовления: белые грибы или шампиньоны очистить, нарезать ломтиками и сварить до полуготовности. Пока грибы варятся, нашинковать и спассеровать репчатый лук. Отдельно на сухой сковороде (без жира) обжарить до золотистого цвета муку и развести ее небольшим количеством воды или бульона. Соленые огурцы очистить от кожицы и нарезать тонкими ломтиками. Рыбу почистить и нарезать кусочками. В грибной отвар положить сначала рыбу, через 5—7 мин — квашеную капусту, огурцы, каперсы, лук, разведенную муку, лавровый лист. За 5—10 мин до готовности ввести процеженный огуречный рассол.

При подаче на стол в каждую тарелку положить ломтик лимона, маслины или оливки и мелко нарубленную зелень.

Бефстроганов из кальмаров

Требуется: 500 г кальмаров, 0,5 ст. л. сметаны, 2 ч. л. пшеничной муки, 1 луковица, 2 ст. л. растительного масла, соль по вкусу.

Способ приготовления: кальмаров почистить, помыть, слегка отбить, нарезать кусочками шириной 5—8 см, посыпать солью и обжарить в масле с мелко нарезанным луком. Потом посыпать мукой, размешать и снова жарить до золотистого цвета. После этого добавить сметану и тушить до готовности. На гарнир подать жареный или отварной картофель, соленые огурцы.

Винегрет с кальмарами

Требуется: 3—4 тушки кальмара, 3—4 клубня картофеля, 1—2 моркови, 2 свеклы, 1 соленый огурец, 2 луковицы, 3—4 ст. л. растительного масла, зелень укропа.

Способ приготовления: кальмаров отварить, охладить, нарезать полосками поперек волокон. Картофель, морковь, свеклу отварить, охладить, нарезать кубиками, огурец мелко нарезать, лук нашинковать, все перемешать. Приправить солью, растительным маслом, посыпать зеленью укропа.

Салат из морепродуктов

Требуется: 0,5 кг свежей капусты, 200 г любых морепродуктов, банка кукурузы, 200 г соевого майонеза, сок лимона.

Способ приготовления: мелко нарезать капусту, морепродукты, добавить кукурузу. Салат заправить майонезом и полить соком лимона.

Индонезийские кальмары

Требуется: 0,5 кг кальмаров, 0,5 кг помидоров, 1 пучок петрушки, сельдерей, 1 зубчик чеснока, 2 сладких перца, соевый соус.

Способ приготовления: все овощи на 5—7 мин поставить на огонь под крышкой. Когда овощи дадут сок, добавить порезанные кальмары. Сдобрить соевым соусом. Ни в коем случае не передерживать, иначе кальмары могут стать жесткими!

Кальмары, фаршированные грибами

Требуется: 6 тушек кальмаров (желательно крупнее), 100 г сливочного масла, 0,5 г грибов (можно шампиньоны), 1 луковица, 3 яйца, 100 г сыра (любых сортов), зеленый лук, зелень — для начинки, 0,25 стакана сметаны, 0,25 стакана майонеза, 0,25 стакана муки, соль.

Способ приготовления: очистить тушки «холодным» способом, т. е. поместить кальмаров в холодную воду (ни в коем случае не обдавать тушки кипятком, как принято считать!) и острым ножом снять верхнюю бело-розовую кожицу и вынуть внутренности. Спассеровать лук на сливочном масле до золотистого цвета, добавить грибы, обжарить до полуготовности и смешать все это с предварительно натертым сыром, мелко нарубленными вареными яйцами, зеленым луком и зеленью. Начинить смесью кальмары. Открытые края тушек либо зашить, либо заколоть зубочистками. Тушки выложить в глубокую посудину типа жаровни или кастрюли с толстыми стенками. Залить соусом кальмаров и поставить на средний огонь.

Приготовление соуса: сметану и майонез смешать в пропорции 1 : 1 (т. е. стакан сметаны и стакан майонеза), добавить муки, соль по вкусу.

Кальмары, фаршированные капустным салатом

Требуется: 500 г кальмаров, 300 г томатного соуса, 300 г свежей капусты, 2 луковицы, 3 яйца, 2 ст. л. растительного масла, соль по вкусу.

Способ приготовления: свежую капусту промыть и тонко нашинковать, тушить в масле с небольшим количеством воды до полуготовности. Добавить мелко нарезанные вареные яйца и

175

слегка обжаренный лук, посолить по вкусу. Кальмаров почистить, помыть и слегка отбить. Посолить, заполнить тушки фаршем, слегка обжарить в масле, сложить в кастрюлю, залить томатным соусом и тушить 30—40 мин.

Кальмары, фаршированные крабами

Требуется: 1 кг свежемороженых кальмаров, 0,5 стакана коричневого риса, 2 яйца, 100 г крабового (или креветочного) мяса, зелень, 0,5 стакана сметаны, 2 ст. л. сливочного масла, 1 ст. л. муки.

Способ приготовления: разморозить кальмаров, промыть, почистить, немного отбить и очистить от внутренностей (не разрезая). Отварить тушки кальмаров в подсоленной воде в течение 5—7 мин. Воду слить, кальмаров охладить. Приготовить фарш: отварить 0,5 стакана риса, добавить в него 1/2 порции сливочного масла, мясо креветок или краба, тертые вареные яйца. Фаршем начинить тушки кальмаров, сложить их в сотейник, залить сметанным соусом.

Приготовление соуса: муку поджарить в 1 ст. л. сливочного масла до золотистого цвета, добавить 0,5 стакана сметаны и 0,5 стакана бульона, оставшегося после варки кальмаров. Довести до кипения, добавить зелень. Кальмаров, залитых соусом, поставить в горячую духовку на 20—30 мин. Перед подачей на стол украсить рубленой петрушкой и укропом.

Капустно-кальмаровый салат

Требуется: 1 банка кальмаров, 400 г капусты, 1 луковица, 200 г соевого майонеза.

Способ приготовления: порезать одинаковыми ломтиками кальмаров, белокочанную капусту. Лук обдать кипятком. Добавить майонез, все смешать. Не солить!

Сборный салат с кальмарами

Требуется: 100 г вареных кальмаров, 1 клубень картофеля, 1 огурец, 1,5 моркови, 2 яйца, 50 г салата или зеленого лука, 50 г корня петрушки, 30 г консервированного горошка, 0,75 стакана соевого майонеза, соль по вкусу, укроп.

Способ приготовления: мороженого кальмара отварить в холодной воде, затем ошпарить кипятком и жесткой щеткой счистить пленку с его поверхности. После этого кальмара тщательно промыть и поставить варить. В кипящую воду

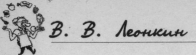

(на 1 кг кальмара 2 л воды и 20 г соли) добавить нарезанный корень петрушки, положить кальмара, быстро довести до кипения и 3—5 мин варить при слабом кипении. Остывшего кальмара нарезать поперек волокон тонкой соломкой, а овощи и вареные яйца — тонкими ломтиками. Продукты смешать, добавить горошек, заправить майонезом, положить горкой в салатницу и украсить. При подаче на стол салат посыпать укропом.

Салат из кальмаров, картофеля и сладкого перца

Требуется: 400—500 г филе кальмара, 200 г картофеля, 200—300 г сладкого маринованного перца, по 50 г зеленого и репчатого лука, 2 яйца, 200 г соевого майонеза, небольшой пучок зелени петрушки или укропа.

Способ приготовления: сваренных и охлажденных кальмаров и сладкий маринованный перец нарезать соломкой. Зеленый и репчатый лук нарезать мелко. Сваренный в мундире очищенный и охлажденный картофель нарезать тонкими ломтиками. Мелко нарезать вареные яйца, все смешать и заправить майонезом. При подаче посыпать мелко нарезанной зеленью.

Салат из кальмаров и морской капусты

Требуется: 1 банка маринованной морской капусты, 2 тушки кальмаров, 1 свежий огурец, 1 красный или желтый сладкий перец, 1 яблоко, соль, растительное масло, черный перец.

Способ приготовления: порезать мелко морскую капусту, кальмаров, огурец, сладкий перец, натереть на крупной терке яблоко, все перемешать, посолить, немного поперчить, заправить растительным маслом.

Фаршированные кальмары

Требуется: 1—1,5 кг кальмаров, 200—250 г обезжиренной вареной колбасы, 200—250 г нежирного сыра, маслины, зелень (желательно больше и разнообразнее), можно немного вареного бурого риса, майонез, соль, 1 яйцо, мука.

Способ приготовления: отварить тушки кальмаров в течение 4 мин (воду не солить, иначе кальмары будут твердыми). Все остальные продукты нарезать кубиками, маслины — кружочками, добавить рис, заправить майонезом, зеленью и специями. Начинить этой смесью кальмаров и заколоть зубочисткой. Обвалять в яйце и в муке и обжаривать в течение 5—10 мин.

Камбала, тушенная с луком
и сладким перцем

Требуется: 750 г камбалы, 2 ст. л. муки, 4 ст. л. растительного масла, 2 луковицы, 4 стручка сладкого перца, 250 г помидоров, 750 г рыбного бульона, 2 зубчика чеснока, соль по вкусу.

Способ приготовления: нашинковать репчатый лук и слегка обжарить его на растительном масле, добавив сладкий стручковый перец, нарезанный соломкой, обжаривать еще 5—10 мин. Потом добавить помидоры, очищенные от кожицы и семян, нарезанные дольками, залить рыбным бульоном и довести до кипения. Порционные куски рыбы посыпать солью, запанировать в муке, обжарить на масле, положить в бульон с овощами, добавить растертый с солью чеснок и тушить рыбу на слабом огне до готовности. Подать рыбу с отварным картофелем.

Рулет с камбалой

Требуется: 4 больших куска филе камбалы, соль, тертая цедра и сок 1 лимона, 1 ч. л. нарезанной петрушки, 4 тонких ломтика ветчины, 1,5 ст. л. сливочного масла, 1 ст. л. молока, 1 маленькая луковица, 1 маленькая банка консервированных помидоров, немного соевого соуса, специи.

Способ приготовления: очистить филе камбалы, посолить и поперчить. Положить каждый кусок вверх той стороной, на которой осталась кожица. Присыпать цедрой лимона, петрушкой и смочить лимонным соком. Свернуть в рулет.

Каждый рулет обернуть тонким ломтиком ветчины и полить маслом так, чтобы было использовано в общей сложности не более 1,5 ч. л. масла. Варить на водяной бане 20 мин.

Растопить остаток масла на маленькой сковороде. Очистить и измельчить луковицу, добавить к маслу и поджарить до прозрачности. Добавить помидоры, соевый соус и специи по собственному выбору (можно взять базилик, смесь трав или чеснок с солью). Варить 5 мин на большом огне.

Аккуратно сняв с блюда рулеты, повернуть их на бок и жарить 2—3 мин, пока ветчина не станет коричневой. Распределить смесь по сервировочному блюду и поместить в центре блюда рыбные рулеты.

Филе камбалы с помидорами

Требуется: 400 г филе камбалы, 100 г сливочного масла, 250 г очищенных помидоров, базилик, мука, лимон, 2 ст. л. панировочных сухарей, соль.

Способ приготовления: на сковороде распустить 50 г сливочного масла, положить помидоры, протертые через сито, базилик, посолить. Тушить на небольшом огне 30 мин. На оставшемся сливочном масле обжарить рыбу, предварительно обваляв ее в муке, залить приготовленным соусом, посыпать панировочными сухарями, посолить. Поставить в жаркую духовку до образования румяной корочки. Готовую рыбу посыпать базиликом и сбрызнуть соком лимона.

Рыба, нашпигованная чесноком

Требуется: рыба любая, весом от 300 г и более (вкуснее получаются лещ, окунь, судак, карась), головка чеснока, банка майонеза, 50—100 г подсолнечного масла, соль.

Способ приготовления: разделать рыбу, поперчить, посолить, сделать несколько неглубоких надрезов ножом поперек спины. В надрезы вложить по половине зубчика чеснока. Подготовить противень: залить его маслом (немного). Рыбу обвалять в муке только с одной стороны, этой стороной положить рыбу на противень. Сверху залить майонезом. Поставить в духовку на средний огонь на 20—30 мин.

Язь под майонезом

Требуется: 1 крупная речная рыба (желательно язь или карась), 1 луковица, соль, нежирный майонез.

Способ приготовления: очистить, выпотрошить язя. Сделать несколько надрезов по бокам вдоль ребер. Посолить, поперчить. Внутрь положить мелко нарезанный лук, с одной стороны обмазать майонезом. Положить на противень, смазанный растительным маслом, и запекать в духовке 20—25 мин. Затем перевернуть на другую сторону, обмазать майонезом и выпекать еще 20 25 мин в зависимости от размера рыбы.

Филе рыбы во фритюре

Требуется: филе любой рыбы, мука грубого помола, соленые огурцы, нежирный майонез, растительное масло.

Способ приготовления: для приготовления используется фритюрница. Нарезать филе кусочками размером 4 см в длину и 1 см в ширину. Развести муку водой так, чтобы получилась густая масса, одновременно разогреть фритюрницу. Обвалять кусочки в тесте и обжарить в кипящем масле. *Для соуса:* потереть огурцы на крупной терке и добавить майонез. Полить этим соусом рыбу.

Карп, запеченный с грибами

Требуется: 1 кг карпа, 200 г свежих белых грибов или шампиньонов, 70 г растительного масла, 2 луковицы, 1,5 стакана нежирной сметаны, 1 ст. л. муки, 100 г тертого нежирного сыра, 2 ст. л. панировочных сухарей.

Способ приготовления: карпа очистить от чешуи и внутренностей. Срезать филе, положить на смазанное маслом металлическое блюдо и запечь в духовке до полуготовности. Грибы очистить от кожицы, хорошо промыть, нарезать довольно крупными ломтиками, положить в кастрюльку, добавить нарезанный кружками лук, соль, 0,25 стакана воды и тушить до полной готовности. Рыбу покрыть грибами, залить посоленной сметаной, смешанной с мукой, густо посыпать сыром, натертым на редкой терке и смешанным с сухарями. Сбрызнуть растопленным маслом и запечь в духовке до образования золотистой корочки. Подавать в горячем виде на том же блюде.

Карп или сазан, тушенный с луком

Требуется: 120 г карпа, 2 ст. л. растительного масла, 1 ст. л. пшеничной муки, 2 луковицы, 1 ст. л. 3%-ного уксуса, 1 ч. л. фруктозы,

0,5 г гвоздики, 0,5 г лаврового листа, душистый молотый перец на кончике ножа, соль —
по вкусу.

Способ приготовления: подготовленного карпа нарезать порционными кусками, посолить,
запанировать в муке и жарить до готовности.
Слегка поджаренный лук (половину нормы) положить в сотейник, добавить гвоздику, лавровый лист, душистый перец, уксус и фруктозу,
затем уложить жареную рыбу, а сверху — оставшийся лук, залить бульоном, сваренным из
рыбных отходов, и тушить.

При подаче карпа полить соком, в котором
он тушился, посыпать зеленью.

В качестве гарнира подать жареный картофель.

Карп по-австрийски

Требуется: 1 кг карпа, 6 филе анчоусов,
0,25 стакана растительного масла, 100 г постно-
го бекона, 1 луковица, 1 стручок красного сладкого перца, 0,5 стакана томатного соуса, 200 г
соевых сливок, соль.

Способ приготовления: карпа разделать на
филе с кожей без костей и нарезать порционны-

ми кусками. В каждом сделать надрез на расстоянии 1—1,5 см и вложить филе анчоусов. Рыбу посыпать солью, поджарить в горячем масле и выложить на блюдо.

Бекон мелко нарезать, поджарить, добавить мелко нарезанный и слегка обжаренный лук, сладкий перец и томатный соус, влить сливки и довести до кипения.

Рыбу полить приготовленным соусом и тушить в духовке при умеренной температуре.

Карп, тушенный с грибами

Требуется: 1 карп, 1—1,5 стакана свежих или замороженных грибов, 1 пучок сельдерея, 2 луковицы, 2 ст. л. сметаны, 2 ст. л. майонеза, 1 ч. л. соли, 1 стакан воды.

Способ приготовления: рыбу почистить, выпотрошить, положить в форму. Внутрь карпа положить грибы, немного лука и сельдерея. Остатки лука, грибов и сельдерея выложить сверху. Сметану, майонез и воду перемешать, добавить соль, залить этой смесью рыбу.

Накрыть крышкой и поставить в духовку на 30 мин. Снять крышку, держать в духовке еще 30 мин.

Карп, фаршированный орехами

Требуется: 2 карпа, 2 луковицы, 200 г очищенных орехов, 2 ст. л. молотых сухарей, 4 ст. л. растительного масла, 2 яйца, 2 ст. л. мелко нарезанной зелени петрушки и укропа, молотый мускатный орех на кончике ножа, соль по вкусу.

Способ приготовления: карпа очистить от чешуи, отрезать голову и, не разрезая брюшка, вынуть внутренности. Рыбу хорошо промыть, полость живота вытереть чистой марлей, затем нафаршировать. Для фарша орехи слегка поджарить, измельчить. Мелко нарезанный лук обжарить в масле. Орехи, сухари, лук и вареные яйца перемешать, посолить, добавить мускатный орех, мелко нарезанную зелень. Фаршированную рыбу завернуть в фольгу и запекать в гриле в течение 20—25 мин при температуре 190 °C. Подать с растопленным маслом, отварным картофелем и тушеными овощами.

Рыба, фаршированная овощами

Требуется: 1 кг свежей рыбы (карпа, сазана), 300 г лука, 1 яйцо, 1 кусок белого хлеба, 1 свекла, 1 морковь, 200 г хрена, 1 ч. л. соли, 1 ч. л. фруктозы, 0,25 ч. л. лимонной кислоты, сахар по вкусу.

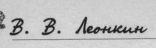

Способ приготовления: очистить рыбу от чешуи, из головы удалить жабры и глаза, затем разрезать брюхо и удалить все внутренности. Тщательно промыть рыбу в проточной воде. Разрезать всю рыбу на порционные куски шириной 5—6 см. В каждом куске подрезать кожу до костей, хребет не удалять. Пропустить отделенное от хребта и кожи филе через мясорубку. Пропустить через мясорубку репчатый лук, кусочек белого хлеба. В казане зажарить на растительном масле небольшое количество мелко нарезанного лука (2—3 средние луковицы) до золотистого цвета. Этот лук добавить в фарш. Посолить по вкусу, добавить яйца и немного фруктозы. Перемешать всю массу рукой, вращая миску с фаршем, пока фарш не отделится от руки. Заполнить фаршем пространство между шкурой и хребтом. Раскалить сковородку с маслом и немного поджарить нафаршированные кусочки рыбы с обеих сторон. Дно казана или кастрюли, где будет вариться рыба, выложить нарезанными кружочками свеклы, моркови и лука. Нафаршировать рыбьи головы и положить их на овощи, поверх положить слой рыбы, затем присыпать нарезанным луком и положить следующий слой рыбы. Залить сложенную в казан рыбу холодной водой так, чтобы вода поднялась над верхним слоем рыбы на

2—3 см. Довести до кипения, уменьшить огонь и варить 2,5 ч. Дать сваренной рыбе остыть в миске или на блюде. Подать к столу с хреном.

Для приготовления хрена к фаршированной рыбе необходимо очистить 200 г корня хрена и поместить в холодную воду на 3—4 ч. Затем натереть на мелкой терке или пропустить через мясорубку. Натереть на мелкой терке примерно 150 г очищенной сырой свеклы. Перемешать натертый хрен и свеклу и сложить в стеклянную банку. В эмалированную посуду налить теплой кипяченой воды, добавить туда соль, сахар, лимонной кислоты — все по вкусу, размешать и попробовать: вкус должен быть кисло-сладкий. Залить в банку с хреном.

Лещ с гречневой кашей

Требуется: 1 крупный лещ, 2 луковицы, 4—5 ст. л. растительного масла, 1,5 стакана гречневой рассыпчатой каши, панировочные сухари, соль.

Способ приготовления: очистить леща, выпотрошить, промыть, натереть солью, начинить и запечь в духовке.

Приготовление начинки: обжарить до золотистого цвета мелко нарубленный лук в 2—3 ст. л. растительного масла, всыпать сюда же только что сваренную в духовке (в горшочке) гречневую кашу и немного обжарить вместе с луком. Затем добавить еще 2 ст. л. растительного масла, слегка охладить, начинить рыбу, зашить, обмазать маслом, обсыпать сухарями и запечь в духовке.

Можно начинить леща квашеной капустой или картофелем.

Рыбные котлетки

Требуется: 1 кг рыбного фарша (трески), 5—6 средних морковок, 4 луковицы, 1 стакан муки, 1 ст. л. манной крупы, 0,5 стакана растительного масла, 0,5 стакана воды, 200 г белокочанной капусты, 2 яйца, соль, 1 ч. л. фруктозы или меда.

Способ приготовления: нарезать морковь тонкими колечками, налить на сковородку растительное масло, туда высыпать морковь и 5 мин тушить, добавив соль на кончике ножа и 1 ч. л. фруктозы или меда. Как только морковь подрумянится и размягчится, добавить ее в рыбный фарш. Туда же вылить 2 яйца, покрошить репчатый лук, тонко нарезанную капусту, влить растительное масло. Все размешать, добавить стакан (неполный) муки и манную крупу, снова

в...   о сковородку на
л...   налепить котлет.
С...   ...х и обжарить на
с...   Можно добавить
...   ...рели.

...ь сухарях

...ы, 3 ст. л. пшенич-
...ных сухарей, 1 ли-
...ла, зелень, соль.

...иле свежей лососи-
...в, запанировать их
...анировать в суха-
...При подаче на стол
...ложить по кружоч-
...очками зелени пет-

...ить осетрину, севрю-
...белорыбицу, нельму,

...я

...оричневого риса, 300 г
...креветок, 1 морковь,
...рвированного зелено-

...

го горошка, 1 красный сладкий перец, 1 банка кукурузы, соевый соус по вкусу, соль, 2 ст. л. томатного соуса, зелень.

Способ приготовления: рис отварить почти до готовности. Мидий и креветок засыпать в кипящую воду и варить около 5 мин. Овощи жарить на сковороде с небольшим количеством воды и растительным маслом. Когда все обжарится и отварится, смешать на сковороде, добавить соевый и томатный соус и тушить 10—15 мин под крышкой, периодически помешивая. Подавать, посыпав зеленью.

Мидии в чесночном соусе

Требуется: 500 г мидий, 2 ст. л. растительного масла, 2 ст. л. муки, 4—5 толченых зубчика чеснока, 1 желток, сок 1 лимона, зелень петрушки.

Способ приготовления: хорошо промыть мидии, положить в кастрюлю, залить холодной водой и медленно подогреть на огне, пока не откроются створки и мясо не станет мягким. Слить воду в посуду и снять одну из створок мидий. Разложить мидии на разогретое блюдо оставшейся створкой книзу.

Приготовление соуса: пожарить муку с маслом и развести стаканом отвара, в котором варились мидии. Заправить соус толченым чесноком. Снять с огня и заправить желтком и соком лимона. Залить мидии соусом, посыпать мелко нарезанной зеленью петрушки и подавать теплыми.

Мидии, запеченные со шпинатом

Требуется: 2 кг мидий, 2 ст. л. сливочного масла, 2 ст. л. сметаны, 1 л воды, 1 луковица, щепоть шафрана, соль, 1 ст. л. 3%-ного уксуса, 100 г шпината.

Способ приготовления: тщательно промыть мидии, пользуясь щеткой, в нескольких водах. Припустить мелко нарезанный лук в 1 ст. л. сливочного масла, туда же положить мидии, перемешивая с луком и маслом. Тушить несколько минут, закрыв крышкой. Отобрать листики шпината, вымыть их, дать стечь воде и отдельно припустить в оставшемся сливочном масле, накрыв крышкой. Вынуть мидии из кастрюли, уварить отвар на 3/4 и осторожно слить его в другую кастрюлю, оставив песок, если он есть. Слитый отвар посолить, поперчить, добавить шафран, уксус и сметану, взбить миксером. Вынуть мякоть из раковин, уложить на смазанный сливочным маслом противень сначала шпинат,

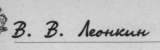

а потом мясо мидий и залить подготовленной смесью. Запекать в духовом шкафу несколько минут.

Мидии, запеченные с пряностями

Требуется: 500 г мидий, 3 ст. л. сливочного масла, 2—3 зубчика чеснока, 4 бутона гвоздики, 1 пучок петрушки.

Способ приготовления: нарезать зелень петрушки, растолочь гвоздику, растереть с солью чеснок. Положить мидии в смазанный жиром сотейник, посыпать смесью петрушки, гвоздики и чеснока, сбрызнуть растопленным маслом и запечь в духовке. Подавать с жареным картофелем.

Морской коктейль

Требуется: 0,5 кг морского ассорти (мидий, креветок и т. д.) или морской рыбы, 2 моркови, 2 луковицы, 2 ст. л. майонеза, 0,5 л нежирного молока, 3 ст. л. сливочного масла, сок 1 апельсина, соль.

Способ приготовления: морковь натереть на терке, лук мелко порезать, смешать овощи с морским ассорти и выложить в глубокую сковороду. Залить молоком, добавив майонез и сок апельсина, кусочек масла.

Все тушить (варить) под крышкой в течение часа. Жидкость должна почти вся выкипеть. Солить в самом конце.

Плов из мидий

Требуется: 0,5 кг мидий, 0,5 кг коричневого риса, 5 луковиц, 5 штук моркови, 5 помидоров, 5 стручков сладкого перца, 1 головка чеснока, зелень (укроп, петрушка) по 1 ст. л., 1 ч. л. приправы для мяса, 1 ч. л. соли, 1 стакан подсолнечного масла.

Способ приготовления: обжарить мидии в большом количестве подсолнечного масла, добавить лук брусочками. Затем прибавить морковь, сладкий перец, также обжарить, прибавить помидоры и приправы. Когда все обжарится, всыпать рис (не мешать!), залить водой (над рисом вода должна быть не выше 3 см). Когда вода уйдет, добавить чеснок. Через 10 мин (по готовности риса) снять с огня, посыпать зеленью и 15 мин дать постоять.

Все овощи лучше резать брусочками.

Рис с мидиями

Требуется: 1 стакан вареного бурого риса, 1 средняя луковица, 2 зубчика чеснока, 1 стакан вареных замороженных мидий, 1 ст. л. растительного масла, соль.

Способ приготовления: измельчить лук и чеснок, масло разогреть на сковороде, объединить. Когда лук подрумянится, добавить мидий и закрыть крышкой. Через 3 мин всыпать рис, размешать, снять с огня, добавить пряности и соль, закрыть крышкой.

Салат из мидий с овощами

Требуется: 400 г свежих мидий, 3 луковицы, 5 ст. л. подсолнечного масла, 80 мл белого вина, 1 кочан средней величины салата радиккио, 1 маленький кочан кудрявого салата, 1 кочан цикория салатного, 200 г филе лосося без кожи, 4 свежие крупные креветки, 8 ст. л. вишневого уксуса, 10 ст. л. оливкового масла, 1 пучок эстрагона, морская соль, 1 ст. л. сливочного масла, 100 г мелких вареных очищенных креветок.

Способ приготовления: мидии тщательно промыть и удалить «усики» с раковин. Лук очистить, мелко порубить и половину отложить для маринада. В кастрюле разогреть 2 ст. л. подсолнечного масла и слегка обжарить в нем оставшийся лук. Положить сюда же ракушки и залить все белым вином. Не накрывая кастрюлю крышкой, прокипятить все 3 мин, затем снять с огня и охладить. Неоткрывшиеся раковины выбросить. Из открывшихся вынуть мясо моллюсков и отложить в сторону. Почистить салаты радиккио и кудрявый. Отдельные их листья вымыть, освободить от жестких прожилок и оснований кочерыжек, разорвать на мелкие кусочки и обсушить. Острым ножом клинообразно вырезать горькую кочерыжку из кочана цикория. Листья разобрать, ополоснуть в чуть теплой воде и обсушить. Филе лосося ополоснуть под холодной водой, обсушить и разрезать на 4 части. Больших креветок очистить, надрезать на спинке и удалить кишечник. Эстрагон вымыть, обсушить и половину его мелко порубить. Оставшийся лук перемешать с рубленым эстрагоном и вишневым уксусом. Подмешать оливковое масло и приправить маринад солью. Больших креветок и лосося посолить. Оставшееся подсолнечное масло разогреть в сковороде вместе со сливочным, филе лосося с креветками, поворачивая, обжаривать 3 мин, затем поставить в теплое место. Цикорий разложить на тарелке. Салаты радиккио и кудрявый заправить маринадом и разложить поверх цикория. Жареных крупных креветок и кусочки лосося положить на салат. Сюда же выложить и мелких креветок с мидиями и украсить все листиками эстрагона.

Салат с мидиями

Требуется: 100—200 г вареных мидий, 2—3 моркови, 2—3 свеклы, 3—4 клубня картофеля, 2 огурца, 2 луковицы, 100 г зеленого горошка, 3 ст. л. майонеза, 1 ч. л. фруктозы, лавровый лист.

Способ приготовления: мидий припустить в посуде с закрытой крышкой в небольшом количестве воды или молока с добавлением репчатого лука и лаврового листа в течение 20 мин, затем охладить и нарезать. Картофель, морковь, свеклу отварить, добавить зеленый горошек, заправить майонезом и фруктозой.

Добавить припущенных мидий. Тщательно перемешать.

Суп рисовый с мидиями

Требуется: 150—200 г вареных мидий, 1 стакан бурого риса, 2 моркови, четверть корня петрушки, 1 луковица, 2 ст. л. маргарина, соль, 0,5 ч. л. мелко нарезанной зелени петрушки или укропа.

Способ приготовления: мидий отварить и нарезать тонкими ломтиками. В кипящий бульон из мидий положить промытый в теплой воде рис. Коренья и лук нарезать кубиками, пассеровать на масле и добавить в бульон за 15—20 мин до окончания варки. Одновременно с кореньями положить мидий, соль.

При подаче на стол посыпать суп мелко нарезанной зеленью.

Щи с морской капустой и мидиями

Требуется: 100—150 г варсных мидий, 100 г маринованной морской капусты, 200 г квашеной белокочанной капусты, 1—2 моркови, 1 пучок петрушки, 1 луковица, 2—3 ст. л. крупы бурого риса, 1 ст. л. томата-пасты, 2 ст. л. растительного масла, 4 ст. л. нежирной сметаны, специи, чеснок, зелень.

Способ приготовления: мидий отварить, нарезать, обжарить на масле вместе с луком и кореньями. Отдельно в бульоне почти до готовности отварить крупу, затем добавить тушеную маринованную морскую капусту, положить в томат обжаренные мидии, коренья и лук. Варить до полной готовности. В конце варки положить соль, специи и мелко нарезанный или растертый чеснок.

Подавать готовые щи с кусочками мидий, сметаной и зеленью.

Вкусная рыбка

Требуется: 300 г филе рыбы (без костей), 2 средних клубня картофеля, 1 луковица, 1 морковь, 50 г нежирного майонеза, 2—3 зубчика чеснока, растительное масло

Способ приготовления: натереть морковь на крупной терке. Добавить чуть-чуть майонеза, перемешать. Картофель нарезать крупными кубиками, обжарить 5 мин на горячем масле.

Одновременно на другой сковороде обжарить на горячем масле филе рыбы, нарезанное крупными кусками. Лук нарезать кольцами, положить к рыбе и через 1 мин снять с огня. Вынуть рыбу, устроить ей в сковороде с луком «подушку» из моркови, оставив свободное место для картофеля, и уложить рыбу обратно. Залить рыбу майонезом, посыпать толченым чесноком. Свободную часть сковороды занять картофелем.

Поставить в разогретую духовку (220 °C) на 20—25 мин.

Рыба по-монастырски

Требуется: растительное масло, филе окуня, 1 большая луковица, 4 вареных яйца, 1 банка консервированных грибов, 1 банка нежирного майонеза, 1 ст. л. сливок, нежирный сыр, зелень.

Способ приготовления: масло разогреть на глубокой сковороде, выложить слой рыбы, потом слой лука, нарезанного колечками, слой яиц, нарезанных вдоль, слой грибов. Рыбу посолить. Все залить смесью майонеза и сливок.

Твердый сыр натереть на терке и засыпать все тонким слоем.

Поставить в духовку на 30 мин при температуре 250 °C. Потом посыпать зеленью, и можно подавать.

Рыба по-московски

Требуется: 400 г филе рыбы, 6 штук картофеля, 200 г репчатого лука, 3 сваренных вкрутую яйца, 15%-ная сметана 0,25 стакана, соль, зелень, 1/2 стакана муки.

Способ приготовления: рыбу выпотрошить, очистить, отделить филе от костей, обвалять в муке, смешанной с солью, обжарить с обеих сторон. Картофель нарезать кружками, обжарить с обеих сторон. Лук нарезать кружками, обвалять в муке, обжарить с обеих сторон, посолить. Яйца нарезать кружками. На противень или металлическое блюдо положить слой картофеля, на него слой филе рыбы, на рыбу положить картофель, лук, яйца, слегка посолить, залить сметаной, запечь в духовке до образования золотистой румяной корочки.

Суп из омаров

Требуется: 2 ст. л. растительного масла, 400 г омаров, 3 стакана 0,5%-ного молока, соль, гренки.

Способ приготовления: масло разогреть на сковороде, добавить омаров и держать на огне 3 мин. Затем влить молоко, посолить. Подавать в горячем виде с гренками.

Голубцы из осетрины

Требуется: 120 г обработанной нежирной осетрины, 1 луковица, половина помидора, 30 г шампиньонов, 1 большой лист капусты, 2 ст. л. растительного масла, 3 ст. л. нежирной сметаны, соль по вкусу.

Способ приготовления: лук и грибы нарезать кубиками и обжарить на растительном масле. Помидор надрезать крест-накрест, на 1—2 мин опустить в кипяток, очистить от кожицы и семечек. Затем нарезать кубиками, добавить в грибы с луком. Посолить и тушить на медленном огне 15—20 мин. Капустный лист ошпарить. 2 кусочка осетрины хорошо отбить. На подготовленный капустный лист уложить кусок осетрины, сверху слой фарша, затем еще один кусочек рыбы. Завернуть конвертиком. Голубец обжарить с двух сторон до образования румяной корочки, залить сметаной, досолить по вкусу и тушить до готовности (примерно 15 мин). Готовый голубец выложить на тарелку, полить сметанным соусом, украсить веточкой зелени. К этому блюду подойдут любые овощи.

Окрошка рыбная

Требуется: 2—2,5 л кваса, 200 г любой жареной рыбы, 50 г отварной нежирной осетрины, 30 г сельди, 4 отварные свеклы, пучок зеленого лука, 2—3 свежих огурца, 3—4 ст. л. оливкового масла, 1—2 ст. л. готового хрена, зелень петрушки и укроп по вкусу, пищевой лед.

Способ приготовления: мякоть обжаренной рыбы отделить от костей, покрошить, прибавить к ней хрен, мелко рубленную сельдь, зеленый лук, очищенные и нарезанные тонкими ломтиками огурцы, натертую на крупной терке свеклу, оливковое масло и растереть в фарфоровой миске. Залить квасом, тщательно размешать, положить кусочки осетрины, пищевого льда и посыпать мелко рубленной зеленью петрушки и укропом.

Рыба в белом соусе

Требуется: 2 порционных куска палтуса, 0,5 л нежирных сливок, 1 л яблочного сока, 200 г шампиньонов.

Способ приготовления: залить рыбу на сковородке яблочным соком и, вскипятив, проварить в нем около 5 мин. Одновременно на другой сковороде поджарить грибы. Выложить рыбу в сковороду с грибами и залить сливками. Посолить, добавить специи. Тушить на слабом огне около 10—15 мин.

Подавать вместе с грибами и соусом.

На гарнир хорошо подойдет стручковая фасоль.

Рыба с цветной капустой

Требуется: 1 кг палтуса, соль, сок половины лимона, 1 луковица, 3 ст. л. сливочного масла, 2,5 ст. л. муки, 1 ст. л. томатного порошка, 2 стакана бульона или воды, 1 небольшой кочан цветной капусты, 1 ч. л. нарезанной петрушки, перец.

Способ приготовления: очистить рыбу и разрезать ее на мелкие кусочки. Посолить и поперчить, сбрызнуть лимонным соком.

Очистить и измельчить луковицу. Поджарить ее в масле до прозрачности.

Добавить рыбу и жарить на медленном огне 5 мин. Снять рыбу со сковороды. Добавить к маслу муку и томатный порошок, тщательно перемешать и поджарить 10 мин, часто помешивая. Снять сковороду с огня и постепенно влить бульон или воду. Снова поставить сковороду на огонь и довести до кипения, помешивая, пока смесь не загустеет. Варить 5 мин. Добавить к соусу рыбу и варить еще 10 мин.

Сварить цветную капусту в кипящей подсоленной воде. Слить воду и выложить капусту по краю блюда. В середину поместить рыбу и полить ее соусом, украсить петрушкой.

205

Галантин из рыбы

Требуется: 500 г филе рыбы с кожей, 1 кусок пшеничного хлеба без корки, 2 ст. л. молока, 2 ст. л. сливочного масла, 1 яйцо, соль по вкусу.

Способ приготовления: с подготовленного филе аккуратно снять кожу, мякоть нарезать, пропустить через мясорубку, добавить размоченный в молоке пшеничный хлеб. Еще раз пропустить через мясорубку, ввести размягченное сливочное масло, взбитое яйцо, соль и все тщательно перемешать. На целлофан выложить снятую с рыбы кожу, уложить на нее фарш. Завернуть в рулет и отварить в подсоленной воде. Охладить, оставить на несколько часов под прессом. Перед подачей нарезать тонким ножом на кусочки. Подавать с овощами, лимоном и зеленью.

Зразы из рыбы и грибов под соусом

Требуется: 1,5 кг рыбы, 200 г шампиньонов, 1 луковица, 2 ст. л. масла, 1 ст. л. зелени петрушки, соль и перец по вкусу.

Для соуса: 2 ст. л. масла, 1 ст. л. муки, 1,5 стакана рыбного бульона, 0,25 стакана белого вина, 0,5 стакана нежирных сливок, 3 желтка, лимонный сок по вкусу.

Способ приготовления: освободить филе рыбы от костей и, держа нож наискось, нарезать небольшими продолговатыми кусками. Каждый ломтик отбить на мокрой доске, несильно ударяя молоточком, чтобы не разрывать волокна. Обровнять края ломтиков, посыпать их солью и перцем, на середину каждого положить фарш, завернуть края со всех сторон и свернуть ломтики трубочкой. Приготовленные зразы положить в глубокую сковородку завернутой стороной вниз, влить немного рыбного бульона, сваренного из головы и костей, закрыть крышкой и тушить на небольшом огне до готовности. Сложить зразы в фарфоровую миску, залить со усом и подавать.

Приготовление грибного фарша: мелко нарубленные шампиньоны поджарить в масле вместе с мелко нарубленной зеленью петрушки и рубленым луком. Добавить соль, влить 2—3 ст. л. воды, размешать.

Приготовление соуса: смешать 1 ст. л. масла и 1 ст. л. муки, посолить, растереть на глубокой сковороде, постепенно залить рыбным бульоном, сваренным из головы и костей рыбы, прокипятить. Добавить белое вино и сливки, прокипятить на пару, чтобы соус немного загустел. В отдельной кастрюле растереть 1 ст. л. масла, втереть в нее по одному 3 желтка, постепенно влить туда же приготовленный соус, поставить на пар и проварить до густоты сметаны. По вкусу добавить лимонный сок.

Рыба в томате

Требуется: 1 рыбина (любая), 1 стакан томатного сока, 2 луковицы, 2 моркови, лавровый лист, соль.

Способ приготовления: обжарить лук и морковь. В небольшую кастрюлю сложить рыбу, лук и морковь. Залить посоленным томатным соком так, чтобы сок закрывал рыбу. Тушить на медленном огне 40 мин. В конце добавить лавровый лист. Должен получиться густой соус. Подается и горячим, и холодным.

Рыба в горшочках с каштанами

Требуется: 1,5 рыбины, 100 г растительного масла, 1 стакан 15%-ной сметаны, 100 г нежирного тертого сыра, 400 г каштанов, 100 г панировочных сухарей, 200 г пресного теста, 1 яйцо, соль по вкусу.

Способ приготовления: рыбу нарезать порционными кусками. В огнеупорные горшки (по числу персон) положить на дно по 1 ст. л. масла и сметаны. Затем положить в них куски рыбы, посыпав солью и тертым сыром. На все это положить сваренные каштаны. Полить содержимое горшочков смесью масла, сметаны, сухарей и сыра, влить в каждый по 3 ст. л. горячей воды. После этого горшочки замазать тестом (сделав из него «крышку»), сверху тесто смазать яйцом, посыпать сыром. Горшочки поставить на противень и поместить в духовку со средним жаром. Печь до тех пор, пока тесто не зарумянится и рыба не пропечется.

Рыбный суп с ананасами

Требуется: 1 ананас, 1 луковица, 1 морковь, 1 рыба, лавровый лист.

Способ приготовления: ананас очистить. Очищенную луковицу, морковь варить вместе с рыбой, чтобы получить хороший и наваристый рыбный бульон. Когда бульон закипит, посолить его, а когда рыба (голова и хвост) разварится, удалить ее вместе с морковью и луковицей. Бульон можно процедить. В бульон добавить специи и нарезанный небольшими ломтиками ананас. Если он спелый, то варить его долго не надо, а если не очень, то пусть немножко покипит в бульоне.

Рождественский сазан

Требуется: 1 сазан, 2 корня петрушки, 3 моркови, 1 корень сельдерея, 1 луковица, 2—3 зубчика чеснока, 2 лавровых листа, веточка тимьяна, 1 ст. л. растительного масла, 1 ст. л. уксуса, соль.

Способ приготовления: очистить и нарезать тонкими длинными ломтиками корни петрушки, морковь и корень сельдерея. Нарезать кружочками лук. Завернуть в марлю зубчики чеснока, лавровый лист, веточку тимьяна. Залить 4 стаканами горячей воды и варить около 1 ч, затем завернутые в марлю приправы вынуть. Дать воде стечь с кореньев, посолить их и сбрызнуть уксусом. Положить на них сазана, хорошо вычищенного и вымытого (можно нарезать его кусками), полить 5—6 ст. л. растительного масла. Плотно закрыть крышкой и тушить 45 мин.

Так же можно приготовить карпа.

Биточки из рыбы

Требуется: 500 г мелкой рыбы (хамсы, мелких бычков), 2 яйца, 0,5 стакана муки грубого помола, 0,5 стакана 0,5%-ного молока, соль, растительное масло.

Способ приготовления: рыбу почистить, вымыть, поперчить и посолить. Из муки, яиц и молока приготовить жидкое тесто (как для омлета) и смешать с рыбой. Обжаривать биточки в горячем растительном масле на сковороде.

Рыбно-грибное жаркое

Требуется: 450—500 г филе сома (морского окуня, мерланга, трески, зубатки), 3 ст. л. вареных белых грибов или вареных шампиньонов, 3 ст. л. растительного масла, 1 стакан рыбного бульона, 3 ст. л. растительного масла, 2 ст. л. панировочных сухарей, соль по вкусу.

Способ приготовления: рыбу порезать порционными кусками, посолить, запанировать и жарить в растительном масле с двух сторон до готовности.

Подготовленные грибы, нарезанные тонкими ломтиками, обжарить в растительном масле 8—10 мин, добавить рыбный бульон, соль и тушить до готовности грибов.

На тарелку выложить жареную рыбу, сверху положить грибы, а рядом с рыбой — жареный картофель или сложный гарнир.

Похлебка по-суворовски с кулебякой

Требуется: 350 г судака, 250 г картофеля, 25 г моркови, 50 г репчатого лука, 25 г корня сельдерея, 100 г сушеных грибов, 100 г свежих помидоров, 2 зубчика чеснока, 3 ст. л. сливочного масла, пучок зелени петрушки, 1,75 л бульона.

Для кулебяки: 600 г слоеного теста, 250 г судака или окуня, 1 луковица, 2 ст. л. маргарина, соль.

Способ приготовления: сварить рыбный бульон. Замочить в холодной воде грибы, затем промыть их, отварить и нарезать. Подготовить и нарезать рыбу, картофель. Спассеровать грибы, морковь, корень сельдерея, лук. Подготовленные продукты положить в глиняный горшок, залить рыбным бульоном и поставить в духовку. Перед окончанием варки добавить свежие помидоры, нарезанные дольками. При подаче положить рубленый чеснок, зелень петрушки. К похлебке подать кулебяку из слоеного теста.

Ростовская уха

Требуется: 600—800 г судака, 600 г картофеля, 1 луковица, 350 г помидоров, 2 ст. л. сливочного масла, 1 лавровый лист, 1 пучок петрушки, горсточка зелени сельдерея, по 2—3 ст. л. зелени укропа и петрушки, соль.

Способ приготовления: голову, кожу и кости рыбы в течение 30 мин варить в 2,25 л слегка подсоленной воды. Картофель нарезать кубиками, лук мелко порубить и залить процеженным сквозь сито бульоном. Добавить зелень петрушки и сельдерея и варить еще 20—25 мин. За 10 мин до окончания варки добавить подготовленные куски судака, нарезанные дольками помидоры, лавровый лист и перец горошком и проварить суп на слабом огне. Вынуть пучок петрушки и сельдерея и добавить в уху масло. Укроп и зелень петрушки мелко порубить и посыпать суп.

Рулет из рыбы

Требуется: 1 кг рыбы, 1 стакан 0,5%-ного молока, 2 куска белого хлеба из муки грубого помола, 3 луковицы, 50 г белых сушеных грибов, 2 яйца, 100 г растительного масла, 50 г сухарей, 2 пучка зелени петрушки, черный перец.

Для соуса: 2,5—3 стакана рыбного бульона, 150—200 г томата-пюре, 40 г пшеничной муки, 3 ст. л. сливочного масла, 1 луковица, пучок петрушки и сельдерея, 1 морковь, 2 лавровых листа, 2—4 горошины душистого перца, фруктоза и соль по вкусу.

Способ приготовления: судака, щуку, налима порубить ножом с небольшим количеством белого хлеба и молока, хорошо перемешать. Приготовить томатный или сметанный соус.

Фарш: обжарить на масле нашинкованный репчатый лук, добавить к нему отваренные и тонко нарезанные белые грибы, все прожарить и перемешать с крутыми яйцами, нарезанными ломтиками. Фарш по вкусу заправить солью и молотым перцем. На смоченное и отжатое полотенце уложить плотным слоем рыбную рубку, а на нее длинной горкой охлажденный фарш. Рубку закрепить над фаршем. Переложить швом вниз на подмасленный противень, смазать яйцом, обсыпать сухарями, сбрызнуть маслом и запекать в духовке 20—40 мин, изредка поливая жиром.

Готовый рулет слегка охладить и разрезать на порции, переложить их на тарелки, полить маслом, сбоку налить томатный соус, посыпать мелко нарезанной зеленью петрушки и подать к столу.

Рыба по-крестьянски

Требуется: 1 кг филе судака, растительное масло, 1 луковица, 2 моркови, 30 г грибов (шампиньонов), 200 г 15%-ной сметаны, 200 г нежирного сыра.

Способ приготовления: филе судака обжарить на сильном огне в кипящем масле с двух сторон (не до готовности).

Пассерованные морковь и лук выложить на порционную сковороду, сверху выложить рыбу, грибы, залить сметаной, посыпать тертым сыром и запекать 10—15 мин.

Рыба по-старорусски

Требуется: 100 г судака, 100 г картофеля, 1 луковица, тонкий ломтик нежирного сыра, 100 г нежирной сметаны, 30 г бульона, 1 ст. л. сливочного масла.

Маринад: 2 ст. л. воды, 1 ст. л. лимонного сока, соль.

Способ приготовления: рыбу разделать на филе с кожей без костей. Мариновать 15—20 мин.

В горшочек положить масло, влить бульон, уложить рыбу (по 4 кусочка на порцию), затем слой сырого картофеля кружочками, затем слой пассерованного лука. Сделать еще 3 слоя.

Поставить в духовку на 15 мин.

Затем добавить сметану, тертый сыр и запечь до готовности.

Судак в соусе

Требуется: 0,5 кг судака, 1 ст. л. растительного масла, соль по вкусу.

Для соуса: 1 ст. л. муки грубого помола, 1 ст. л. сливочного масла, 1 стакан бульона, 1 стакан рубленых и поджаренных шампиньонов, 1 луковица, 0,5 стакана 15%-ной сметаны.

Способ приготовления: рыбу очистить, порезать кусками, положить на сковороду с разогретым маслом, посолить, поставить в нагретую духовку и запечь. Готовую рыбу выложить на блюдо и подавать, залив соусом.

Приготовление соуса: в глубокой сковороде растереть муку и масло, залить бульоном, прокипятить, добавить поджаренные шампиньоны, мелко нарубленный и поджаренный до светло-золотистого цвета лук, сметану. Довести до кипения, и соус готов.

Судак, жаренный по-ленинградски

Требуется: 800 г судака, 1 ст. л. пшеничной муки грубого помола, 4 ст. л. растительного масла, 4 луковицы, соль, зелень укропа и петрушки.

Для гарнира: 10—12 клубней картофеля, 4 ст. л. нежирного сливочного масла, 4 красных помидора, соль.

Способ приготовления: подготовленного судака нарезать на куски, натереть солью, обвалять в пшеничной муке и обжарить с обеих сторон до готовности. Репчатый лук нарезать кольцами, посыпать мукой, обжарить в большом количестве масла до золотистого цвета и откинуть на сито, чтобы стекло масло.

Готового судака положить на тарелку, гарнировать жареным картофелем, посыпать жареным луком и мелкорубленой зеленью, украсить дольками красных помидоров.

Судак фри

Требуется: 2 судака, 1 яйцо, 1 ст. л. молока, 1 ст. л. пшеничной муки, 4 ст. л. молотых сухарей, 0,5 стакана растительного масла, 6 клубней картофеля, половина лимона, 1 стакан томатного соуса, зелень петрушки, соль.

Способ приготовления: судака, не очищая от чешуи, разрезать вдоль по спинке на 2 половинки, срезать хребтовые и реберные кости, удалить кожицу, промыть. Мякоть нарезать длинными полосками (20—25 см), посыпать солью, обвалять в муке, опустить во взбитое с молоком яйцо, обвалять в сухарях, свернуть с двух концов в виде рулетика, сколоть тонкой деревянной шпажкой. Подготовленные рулетики судака обжарить в казане в раскаленном растительном масле (3—4 мин), шумовкой вынуть из масла. Положить на сковороду и поместить в духовку, где довести до готовности в течение 5—7 мин. Готового судака положить на блюдо, удалить шпажки, положить кружочки лимона. Гарнировать жареным картофелем, посыпать зеленью, отдельно подать томатный соус.

Судак фри, панированный в сухарях

Требуется: 500 г рыбы, 2 яйца, 4 ст. л. муки грубого помола, половинка лимона, 2 ст. л. молотых сухарей, соль по вкусу.

Способ приготовления: рыбу нарезать ромбами, запанировать в муке, смочить в яйце, снова запанировать в сухарях. Жарить во фритюрнице в течение 6—7 мин при температуре 160 °C. При подаче на стол на кусочки рыбы положить ломтики лимона. В качестве гарнира подать жареный картофель или зелень петрушки. Отдельно подать томатный соус.

Судак на решетке

Требуется: 300 г судака, 2 ч. л. сливочного масла, 4 ст. л. крошек ржаного хлеба, половина лимона, соль по вкусу.

Способ приготовления: филе судака с кожей разрезать на небольшие куски, посыпать солью, смочить растопленным сливочным маслом, запанировать в крошках хлеба, сбрызнуть маслом и жарить на гриле по 2—3 мин с каждой стороны при температуре 190 °C. На готовую рыбу положить ломтик лимона. Отдельно подать жареный картофель и томатный соус.

Так же готовится камбала, палтус и другая рыба.

Уха ростовская

Требуется: 400 г бульона, 100 г рыбы (судака), 100 г картофеля, пучок петрушки, 1 луковица, 1 средний помидор, 1 ст. л. растительного масла, специи, зелень.

Способ приготовления: в кипящий бульон положить картофель, нарезанный крупными дольками, петрушку, лук и варить 10—15 мин. Затем положить специи, куски судака без кос-

219

тей, помидоры, нарезанные кружочками, и варить еще 10—15 мин. При подаче добавить масло и зелень.

Димитровская рыбка

Требуется: филе рыбы (трески, но лучше минтая — 1—1,5 кг), 3 луковицы, 3 моркови, 2 лавровых листа, 1 банка нежирного или соевого майонеза, 1 ст. л. подсолнечного масла, душистый перец.

Способ приготовления: на дно кастрюли вылить масла, потом порезать рыбу (на 3—4 кусочка каждую) и выложить этими кусочками дно кастрюли. Сверху добавить порезанный не очень мелко лук и натертую на терке морковь и залить все это 3—5 ч. л. майонеза с перцем. Слои укладывать до верха кастрюли и в конце положить майонеза больше. Все залить холодной водой. Поставить на плиту и готовить 15—22 мин. Подать с соусом.

Жареная треска в маринаде

Требуется: 500 г жареной трески, 500 г моркови, 300 г лука, 3 ст. л. томата, 1 стакан подсолнечного масла, 1 стакан воды, 3 лавровых листа, соль, чеснок по вкусу.

Способ приготовления: положить жареную треску в горячий маринад, хорошо прогреть на огне и в горячем виде подавать к столу с отварным картофелем.

Приготовление маринада: лук крупно порезать. Морковь натереть на крупной терке. Положить лук и морковь в кастрюлю, залить подсолнечным маслом, томатом, разведенным в воде, добавить 1 лавровый лист и соль. Кастрюлю накрыть крышкой и поставить на сильный огонь. Когда сок начнет выпариваться, убавить огонь и, помешивая, довести овощи до готовности.

В соус положить жареную треску, перемешать, добавить еще 2 лавровых листа и растертый с солью чеснок. Подавать, посыпав рубленой зеленью.

«Золотая рыбка»

Требуется: 1/2 стакана соевого майонеза, 1 рыбина (минтай, треска, пикша), соль, 1 яйцо, 1 ст. л. растительного масла, 1/2 стакана панировочных сухарей.

Способ приготовления: почистить рыбу, нарезать кусочками. В блюдо разбить яйцо и взбить его вилкой. Добавить в яйцо майонез (по соотношению 1 : 1). Кусочки рыбы посолить, обмакнуть сначала в майонез с яйцом, затем обвалять в панировочных сухарях и обжарить на горячей сковороде.

Пельмени с рыбой

Требуется: для теста: 350 г пшеничной муки грубого помола, половина яйца, 0,5 стакана воды, 1 ч. л. соли.

Для фарша: 450 г рыбного филе, 1 крупная луковица, соль, 3 ст. л. нежирного сливочного масла.

Способ приготовления: муку насыпать на стол, сделать в ней воронку, влить туда воду, яйцо, добавить соль и замесить крутое тесто. Готовое тесто закрыть крышкой и дать ему постоять около 30 мин. Затем тесто нарезать на куски, раскатать лепешки, в центр положить готовый фарш и сделать пельмени.

Варить небольшими партиями в кипящей воде (на 1 кг изделий 4 л воды и 2 ст. л. соли).

Приготовление фарша: филе любой рыбы (трески, налима, щуки и т. п.) промыть и пропустить через мясорубку 2 раза вместе с сырым луком. Добавить соль, сливочное масло и тщательно перемешать.

Подать пельмени с растопленным на сковороде маслом.

Рыба под маринадом

Требуется: 1 кг филе рыбы (хека или трески), 0,5 кг моркови, репчатый лук (около 5—6 средних луковиц), 3—4 ст. л. томатной пасты, растительное масло, черный перец, 1,5 стакана воды.

Способ приготовления: обжарить на масле филе, на другой сковороде обжарить до золотистого цвета лук, а потом добавить натертую на крупной терке морковь. Это должно потушиться 10—15 мин. Потом уложить рыбу в форму, сверху овощи и полить томатной пастой, смешанной с 1,5 стаканами воды. Посыпать молотым черным перцем. Все это запекать в духовке примерно 20 мин.

Рыбная запеканка по-португальски

Требуется: 1,5 кг трески или другой рыбы, 200 г растительного масла, 700 г помидоров, 300 г репчатого лука, 250 г моркови, 100 г муки, 100 г нежирного сливочного масла, 300 г рыбного бульона или воды, 100 г нежирного сыра, зелень, соль.

Способ приготовления: в форме для пудинга разогреть растительное масло и положить в него нарезанную ломтиками и подсоленную рыбу.

Кусочки рыбы переложить половинками помидоров, ломтиками лука и очень тонкими ломтиками моркови. Подготовленную таким образом рыбу запекать в духовке 20 мин.

Муку спассеровать на сливочном масле, добавить немного рыбного бульона или воды, зелень и соль. Полученный соус вылить на рыбу, посыпать ее тертым сыром и печь в духовке еще 8—10 мин. Рекомендуется подавать со свежим салатом.

Морской салат

Требуется: 250 г рыбного филе (трески, пикши), 100 г очищенных креветок, половина стручка зеленого сладкого перца, 1 ч. л. лимонного сока, 0,5 стакана нежирного майонеза, соль, резаный салат-латук, черные сливы, паприка для украшения.

Способ приготовления: положить рыбу на тарелку, закрыть пленкой, оставив один угол, чтобы выходил пар. Готовить в микроволновой печи при уровне мощности 10 около 3 мин или пока рыба не станет мягкой. Если рыба толстая, через 1,5 мин переверните ее. Остывшую рыбу нарезать кубиками, добавить креветок и зеленый перец. Смешать с лимонным соком и майо-

. Сверху рас-
сить сливами и

...скипяти...
...ий сотейни...
...енной из ...ка,
...ь поверх...
..., в не оч...
...акрытой ...
...чем или ...
...ыбы покрыть ...
...ить прокипяченные в в...
...о пе?рна вместе с кожурой,
...ки или укропа.

Требу...
1 ст. л.

...печенная фор...

...некрупная форель (около 300 г),
...а, 1 лимон, ...елень петрушки,
...й молотый перец, 3 ст. л. сливоч-

...отовления: форель выпотрошить
...чешуи. Голову удалять не надо.
...арезать. Половину лимона наре-
...(1,5—2 мм) полукольцами, из ос-
...ичества выжать сок. Петрушку

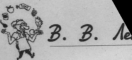 *В. В. Ле...*

вать, прокипя...
лом, затем доба...
вымытого щавел...
ленный и растерты...
дольками помидоры...
ратно перемечать и п...
бу уложить в глубок...
вень, залить подготов...
ни смесью, азронят...
не закрывая...
ховке или на плико...
1 ч. Подавать в...
При подаче кус...
массой, сверху по...
маслины и ломт...
посыпать зелены...

Зап...

Тре...
кана под...
щавеля, 2...
ре, 3 луко...
половинка...

Способ
трески посы...
обжарить в...

Требуется:
60—70 г бекон...
соль, душистый...
ного масла.

Способ при...
и очистить от...
Бекон тонко...
зать тонкими...
тального кол...

незом. Посолить. Выложить салат. Сверху расположить рыбную смесь и украсить сливами и паприкой.

Рыба с белым мясом

Требуется: 1 кг трески, 1 головка чеснока, 1 ст. л. фруктозы, 0,5 стакана соевого соуса.

Способ приготовления: треску очистить от кожи, порезать и отбить. Каждый кусочек натереть чесноком. Сложить кусочки слоями в кастрюлю, при этом каждый слой посыпать щепоткой фруктозы и полить соевым соусом. Поставить в холодильник на ночь. Затем обвалять в муке и жарить на растительном масле. Можно есть и горячей, и холодной.

Треска, тушенная со щавелем

Требуется: 500 г трески, 2 ст. л. муки, 0,5 стакана подсолнечного или оливкового масла, 400 г щавеля, 200 г помидоров или 3 ст. л. томата-пюре, 3 луковицы, 1 зубчик чеснока, 60 г маслин, половинка лимона, зелень.

Способ приготовления: порционные куски трески посыпать солью, запанировать в муке и обжарить в растительном масле. Лук нашинко-

225

вать, прокипятить, помешивая, в посуде с маслом, затем добавить листья свежего, тщательно вымытого щавеля без черешков, мелко нарубленный и растертый с солью чеснок, нарезанные дольками помидоры или томат-пюре; все аккуратно перемешать и прокипятить. Жареную рыбу уложить в глубокий сотейник или противень, залить подготовленной из овощей и зелени смесью, разровнять поверхность и тушить, не закрывая крышкой, в не очень горячей духовке или на плите в накрытой посуде в течение 1 ч. Подавать в горячем или холодном виде. При подаче кусок рыбы покрыть щавелевой массой, сверху положить прокипяченные в воде маслины и ломтик лимона вместе с кожурой, посыпать зеленью петрушки или укропа.

Запеченная форель

Требуется: некрупная форель (около 300 г), 60—70 г бекона, 1 лимон, зелень петрушки, соль, душистый молотый перец, 3 ст. л. сливочного масла.

Способ приготовления: форель выпотрошить и очистить от чешуи. Голову удалять не надо. Бекон тонко нарезать. Половину лимона нарезать тонкими (1,5—2 мм) полукольцами, из остального количества выжать сок. Петрушку мелко нарезать. Дно глубокого противня или сотейника с широким плоским дном смазать маслом и выложить беконом, оставив по маленькому кусочку бекона для каждой рыбы. Уложить рыбу так, чтобы она полностью лежала на боку и лишь слегка касалась другой рыбины.

Рыбу посолить и поперчить изнутри, положить ей в брюшко кусочек бекона, 2—3 полуколечка лимона, маленький (0,3—0,5 ч. л.) кусочск сливочного масла и зелень петрушки. Сверху рыбу полить лимонным соком, посолить, поперчить, обложить ломтиками лимона и посыпать петрушкой. Накрыть крышкой, подложив спичку или лучинку для выхода пара или накрыть противень фольгой, плотно защипать фольгу по краям и проколоть 2 маленькие дырочки для выхода пара. Запекать в духовке при температуре 190—200 °C около 25 мин. На гарнир подать картофель, запеченный в мундире или отваренный на пару.

Форель по-югославски

Требуется: 350 г форели, 50 г зелени петрушки, 60 г чернослива, 100 г растительного масла, 2 ст. л. 3%-ного уксуса, 2 зубчика чеснока, 1 яйцо, 1 лимон, 400 мл воды, соль.

Способ приготовления: форель ошпарить кипятком, очистить от чешуи, сохранив кожицу, выпотрошить, промыть и заложить в брюшко распаренный чернослив. В сотейник влить масло и уксус, всыпать зелень петрушки и измельченный чеснок, поверх положить рыбу и добавить воды. Запекать в духовке при высокой температуре 45 мин.

Готовую рыбу выложить в слегка подогретое блюдо.

В сотейник влить смесь из взбитого яйца, петрушки, измельченного чеснока и сока лимона, дать соусу загустеть, осторожно помешивая вилкой, затем выложить на блюдо вокруг рыбы и украсить ломтиками лимона.

Форель, жаренная по-киргизски

Требуется: 1,5 кг форели, 3 ст. л. муки грубого помола, 1 стакан растительного масла, 1,2 кг репчатого лука, 300 г свежих помидоров, 700 г редьки, 300 г болгарского перца, 100 г томата-пюре, 500 г патиссонов или кабачков, 200 г зеленого горошка, пучок зелени, специи, соль.

Способ приготовления: обработанную рыбу нарезать порциями, запанировать в муке и жарить. Бланшированную редьку обжарить вместе с луком, отдельно обжарить сладкий перец, шинкованный соломкой. Овощи соединить с пассерованным томатом и гарнировать ими рыбу. На гарнир положить зеленый горошек, патиссоны, помидоры и зелень.

Рыба, тушенная в томате с овощами

Требуется: 500 г щуки (трески, ставриды, карася океанического крупного), 2 моркови, 1 луковица, 30 г томата-пюре, 0,25 стакана растительного масла, 1 стакан рыбного бульона, 1 ч. л. фруктозы, петрушка, сельсрей по вкусу, гвоздика и соль по вкусу, лимонный сок или 3%-ный уксус.

Способ приготовления: подготовленные тушки предварительно обработать 3%-ным уксусом или лимонной кислотой или соком лимона для удаления специфического запаха. Тушки нарезать порционными кусками с кожей, удалив кости, уложить в сотейник или глубокий противень на слой овощей, доведенных до полуготовности. Чередовать слой рыбы со слоем овощей.

После закипания сотейник или глубокий противень переставить в духовку, где довести рыбу до полной готовности.

Щука фаршированная

Требуется: на тушку рыбы массой 1 кг (масса без костей 400 г): 3 средних куска хлеба из пшеничной муки грубого помола, 0,5 стакана 0,5%-ного молока, 2 луковицы, 3 ст. л. растительного масла, 1 яйцо, 1 зубчик чеснока, 1 морковь, зелень, специи, соль, 100—200 г натертого хрена, лавровый лист.

Способ приготовления: рыбу очистить, сделать кольцевой разрез кожи у головы и снять ее с тушки чулком, подрезая ножом. Позвоночную кость у хвоста перерубить так, чтобы хвост остался внутри вывернутой кожи. Отделившуюся тушку выпотрошить и промыть. Отрубить голову и удалить из нее глаза и жабры.

Мякоть отделить от костей и сделать из нее начинку. Для этого мякоть рыбы, слегка обжаренный на масле лук, рубленый чеснок, размоченный в молоке белый хлеб 2—3 раза пропустить через мясорубку, добавив сырое яйцо, соль, перец. Снятую с рыбы кожу набить приготовленной начинкой, приставить голову, завернуть в марлю или целлофан и перевязать в нескольких местах тонким шпагатом. Тушку положить в продолговатую посуду, подлить воду или бульон, добавить лавровый лист, соль, нарезанные морковь, лук и варить, закрыв крышкой. Сваренную рыбу охладить, осторожно развернуть и нарезать поперек острым тонким ножом. На овальное блюдо положить ломтики белого хлеба, на них уложить куски рыбы в виде целой тушки. Вокруг рыбы расположить гарнир из отварного картофеля, соленых огурцов, помидоров. Украсить рыбу зеленью, ломтиками лимона. Хрен с уксусом подать отдельно.

Щука фаршированная с овощами

Требуется: свежая щука (весом 1—1,5 кг), 4 луковицы, 3 крупные моркови, 1 свекла, 1 яйцо, 200—300 г черствой булки или батона, 0,5 ч. л. соли, 0,5 ч. л. фруктозы, 2 ст. л. подсолнечного масла, 2—3 лавровых листа.

Способ приготовления: свежую щуку промыть, почистить, отделить голову и вынуть внутренности. Аккуратно снять с нее кожу чулком. Мясо отделить от костей и пропустить через мясорубку. Добавить размоченную (в воде или в молоке) черствую булку, яйцо и продолжать измельчать. Однородную массу посолить, поперчить, добавить фруктозу, все перемешать, добавить 1 ст. л. подсолнечного масла и снова перемешать. Этим фаршем наполнить кожу щуки и голову с удаленными жабрами. Лук резать полукольцами, морковь кружочками, свеклу поло-

винками кружочков. На дно большой гусятни-
цы уложить щучий хребет для наваристости,
немного шелухи лука для цвета, щуку и голову.
Вокруг разложить нарезанные овощи. Все это
полить 1 ст. л. подсолнечного масла, залить крутым кипятком так, чтобы он покрывал продукты, досолить, довести до кипения, установить
самый маленький огонь, накрыть крышкой и
оставить на 1,5 ч. Употреблять в холодном виде.

ПРАЗДНИЧНЫЕ РЕЦЕПТЫ

В этом разделе я хочу предложить вашему
вниманию рецепты блюд, которые вы можете
использовать на праздничном столе. Они реко-
мендованы Британской диабетической ассоциацией, а также сайтом Kulina.ru. «Поваренная
книга кулинарии» в статье «Жизнь с диабетом — все круги ада».

Вегетарианский кекс

Требуется: 1 стакан растительного или не-
сливочного маргарина, 0,5 стакана темного неочищенного сахара, 100 г мягкого наполнителя, 2 ст. л. патоки, хорошо растертая кожура и
сок 1 апельсина, хорошо растертая кожура и сок

1 лимона, 4 ст. л. бренди, 300 г непросеянной муки или муки собственного помола, 50 г земляного миндаля, 50 г миндальных хлопьев, 350 г смеси сухофруктов.

Способ приготовления: разогреть духовку до 170—176 °C. В большой чаше смешать вместе маргарин, сахар, наполнитель и патоку до сметанообразного состояния. Соединить сок цитрусовых, кожуру и бренди. Просеять муку, взять большую металлическую ложку и растереть в пудру оставшиеся компоненты. Все тщательно перемешать. Выложить получившуюся массу в круглые жестяные формы диаметром 20 см. Пригладить вершину. Печь в течение 1 ч 15 мин. Охлаждать, не вынимая из формы. Плотно завернуть кекс в фольгу и выдержать в течение 2 дней, прежде чем подавать на стол.

Бисквит с низким содержанием сахара

Требуется: 150 г готового диабетического бисквита, отдушенного лимоном и пропитанного мадерой, 4 ст. л. апельсинового ликера или апельсинового сока, 2 пакетика несладкого апельсинового желе, 4 мандарина или 2 апельсина, очищенных и нарезанных ломтиками, 2 банана, нарезанных ломтиками, 1 тюбик (425 г) готового обезжиренного заварного крема, 200 г fromage frais (франц.) — сыр с так называемой белой мякотью, или то, что в России называют домашним сыром, 8 ст. л. свежеприготовленного светлого крема.

Украшение: фрукты, свежие фиги.

Способ приготовления: подготовить несколько слоев бисквита и выложить их на большое красивое блюдо. Побрызгать апельсиновым ликером или апельсиновым соком. Приготовить желе согласно инструкции на упаковке. Положить мандарины и бананы между слоями бисквита, залить желе. Смешать вместе заварной крем, белый сыр и белый крем и намазать на бисквит. Украсить плодами.

Начинка для пирогов без сахара

Рекомендовано Британской диабетической ассоциацией.

Требуется: 200 г изюма, 200 г кишмиша, 100 г высушенных мелко порубленных абрикосов, 100 г засахаренной вишни (промытой, высушенной и мелко порубленной)

Способ приготовления: смешать все компоненты в большой миске. Закрыть и охладить в течение 24 ч, иногда встряхивая. Разложить в чистые стерилизованные банки. Хранить в холодильнике до 2 недель или заморозить в морозилке. Получается приблизительно 900 г начинки.

Зажаренный в меде обезжиренный окорок

Рекомендовано
Британской диабетической ассоциацией.

Требуется: 1,8 кг подсоленного окорока, 1 луковица, 20 бутонов гвоздики, 2 лавровых листа, 10 горошин перца.

Для глазури: 40 г слегка поджаренного сахара, тертая корка и сок 1 большого апельсина, 2 ст. л. жидкого меда, 2 ст. л. необработанного зерна.

Способ приготовления: вымочить окорок в холодной воде 3 ч, обсушить и положить его в большую кастрюлю. Воткнуть в луковицу 4 бутона гвоздики и добавить в кастрюлю. Туда же опустить лавровые листья и горошки перца. Залить водой так, чтобы окорок был полностью утоплен, довести до кипения, накрыть и в течение 1 ч кипятить. Разогреть духовку до 200 °C. Высушить окорок, удалить шкуру и большую часть жира. Смешать этот жир с оставшимися бутонами гвоздики и растопить в плошке.

Смешать компоненты, приготовленные для глазури, и намазать получившуюся смесь на окорок. Печь в течение 45 мин, поливая окорок жиром 3—4 раза во время приготовления.

Праздничный кекс без клейковины

Требуется: 1 стакан растительного масла, 0,5 стакана темного неочищенного сахара, 2 ст. л. патоки, 2 ст. л. бренди, 4 яйца, 0,5 стакана кукурузной муки, 0,5 стакана картофельной муки, 1 ст. л. различных специй, 2 ст. л. разрыхлителя (без клейковины), 0,5 стакана земляного миндаля, 1 кг сухофруктов, смешанных с мелко натертой цедрой 1 апельсина.

Способ приготовления: духовку разогреть до 170 °C. Вначале приготовить формы для выпечки. Смазать маслом дно и стенки глубокой формы (20 см). Вырезать из пергамента (кальки) двойную полоску шириной на 5 см меньше, чем глубина формы, свернуть ее в кольцо и надеть на форму так, чтобы одна часть оказалась внутри, а другая снаружи. Внутренняя часть должна слегка закрыть дно. Вырезать 3 круга из бумаги и плотно уложить их на дно формы.

В большой миске смешать вместе масло или маргарин, сахар и патоку до получения сметанообразной массы. Взбить бренди и постепенно ввести яйца и кукурузную муку. Смешать картофельную муку, приправить пряностями, добавить разрыхлитель. Выложить массу в подготовленную форму и разгладить вершину. Печь в духовке в течение 2 ч. Если масса прожаривается слишком быстро, прикрыть верхушку кекса фольгой. Охладить, не вынимая из формы. Плотно завернуть в фольгу кекс. Выдержать в течение 2 дней, прежде чем подавать на стол. Кекс перевернуть и покрыть марципаном и сахарной глазурью без клейковины.

Праздничный пудинг без сахара и клейковины

Требуется: 100 г незамоченного сушеного чернослива, 350 г кишмиша (изюма без косточек), 2 желтка, 200 мл свежевыжатого сока чернослива, 6 ст. л. свежевыжатого апельсинового сока, 150 мл бренди, 75 г рубленых орехов пекан, 1 ст. л. различных специй, 350 г земляного миндаля.

Способ приготовления: в пищевом комбайне размельчить вместе чернослив, половину кишмиша. Взять большую миску для смешивания. Взбить яичные желтки, апельсиновый сок и бренди. Смешать оставшийся кишмиш с остальными компонентами до очень плотной консистенции. На смазанной жиром ложке выложить пудинг в полуторалитровую миску. Закрыть верхушку листом пергамента для выпечки, перемешать. Поместить пудинг на пароварку и готовить на пару в течение 2 ч, по мере необходимости подливая воду. Снять с пароварки и осторожно перевернуть на разогретое блюдо. Украсить и подавать на стол.

Пирог с нежирной начинкой

Требуется: 6 ст. л. (без горки) начинки (изюма, миндаля, цукатов), 2 по 25 г готовых больших листа сдобного теста (если оно заморожено, пусть оттает), 100 г мелко нарубленных сушеных абрикосов (не размачивать), 50 г нарубленных глазированных вишен, 1 слегка взбитый белок, 1—2 ст. л. бренди, 75 г сахарной глазури.

Способ приготовления: разогреть духовку до 200 °C. Разрезать каждый лист сдобного теста пополам. Затем каждую из половинок разрезать еще на 6 равных частей. Всего получится 24 кусочка. Намазать 12 из них яичным белком и сложить на дно формы для выпечки белком вверх. Намазать оставшиеся листы и положить их на те, что лежат в форме, под небольшим углом. Немного загнуть края, чтобы получилась корзиночка. Смешать начинку. Абрикосы и вишни положить в каждую корзиночку и печь в духовке в течение 6—7 мин до появления золотой хрустящей корочки. Тем временем просеять 50 г сахарной глазури в маленькую миску и добавить достаточно бренди, чтобы добиться мягкой консистенции. Полить начинку каждого пирога, пока она еще теплая. Сверху залить глазурью. Подают теплым.

Винегрет с сельдью

Требуется: по 50 г свеклы, моркови и картофеля, пучок зеленого лука, 2 соленых огурца, 2 ст. л. растительного масла, сельдь, 50 г квашеной капусты, уксус, молоко, ксилит.

Способ приготовления: свеклу, морковь и картофель отварить по отдельности, охладить, нарезать и смешать с нарезанными солеными огурцами, добавить квашеную капусту, заправить растительным маслом и небольшим количеством натурального уксуса с добавлением ксилита (по вкусу), посыпать нашинкованным зеленым луком. Сельдь очистить, отделить филейную часть, замочить на 12 ч в молоке. Подавать вместе с винегретом.

Салат мясной

Требуется: 65 г мяса, 1 клубень картофеля, 1 соленый огурец, 0,5 яйца, 1 помидор, 1 ст. л. растительного масла, 2 ст. л. натурального 3%-ного уксуса, пучок салата.

Способ приготовления: вареное охлажденное мясо, свежий салат, соленые огурцы и вареный очищенный картофель нарезать ломтиками и перемешать. Из растительного масла, уксуса и части желтка приготовить масляно-яичный соус (майонез), которым заправить салат. Для украшения салата использовать помидоры и яйцо.

Мясные фрикадельки

Требуется: 75 г мяса, 2 куска пшеничного хлеба, 0,5 яйца, 1 ст. л. сливочного масла, 3 г желатина, 100 г бульона, 0,5 ч. л. соли.

Способ приготовления: из мяса с добавлением пшеничного хлеба приготовить котлетную массу, взбить с маслом и яичным желтком, скатать фрикадельки (по 5 штук на порцию) и сварить на пару. В мясной бульон влить заранее замоченный желатин, перемешанный с яичным белком, осветлить бульон, процедить. Залить им фрикадельки и охладить.

Бульон с кнелями

Требуется: 400 г бульона, 120 г мяса, 0,5 ч. л. муки, 0,5 стакана молока, зелень и соль по вкусу.

Способ приготовления: из говяжьего мяса с костями сварить прозрачный бульон. Мясо нежирной говядины очистить от сухожилий и плепок, вымыть, нарезать кусочками, трижды пропустить через мясорубку с мелкой (паштетной) решсткой, положить соль.

Пшеничную муку прогреть в кастрюле и, постепенно подливая кипяченое молоко, вымешивать до получения густой массы. Соус охладить, положить в него изрубленное мясо, хорошо вымесить или взбить венчиком, чтобы получилась пышная масса. Затем чайной ложкой разделать полученную массу на кусочки и положить в кастрюлю или сотейник, смоченный водой.

Залить кнели небольшим количеством воды и варить до готовности (пока они не всплывут на поверхность воды). Готовые кнели выбрать шумовкой из воды, положить в тарелку. Залить бульоном и посыпать мелко нарубленной зеленью.

Суп фасолевый на мясном бульоне

Требуется: 60 г фасоли, 1 луковица, 1 морковь, пучок петрушки, 1 ч. л. томатной пасты, 1 ст. л. масла, мясной бульон.

Способ приготовления: фасоль промыть, залить тройным количеством воды и варить до готовности. Лук, морковь нашинковать, пассеровать, добавить нарезанную петрушку, ввести томатную пасту. Залить небольшим количеством вторичного мясного бульона и потушить. Приготовленную фасоль и тушеные овощи соединить. Залить вторичным мясным бульоном и довести до кипения.

Суп фермерский

Требуется: 2 ст. л. перловой крупы, 1 клубень картофеля, 3 листа свежей капусты, 1 маленькая морковь, корень петрушки, половина луковицы, 1 ч. л. томата, 1 ст. л. сливочного масла, 2 стакана бульона, зелень и соль по вкусу.

Способ приготовления: перловую крупу перебрать, промыть и варить до готовности (около 3 ч). Лук, морковь, петрушку очистить, промыть, мелко нашинковать и пассеровать в бульоне с маслом и томатом до готовности. В кипящий мясной или куриный бульон опустить нарезанную капусту, дать закипеть, положить картофель, нарезанный кубиками, снова вскипятить. Затем выложить пассерованный лук, морковь и коренья, отваренную перловую крупу, довести до кипения и снять кастрюлю с огня. Готовый суп заправить сметаной и рубленой зеленью, посолить.

Щи кислые

Требуется: 2 стакана бульона, 0,5 стакана квашеной капусты, половина моркови, четверть корня петрушки, 1 ч. л. томата, 1 луковица, 1 ч. л. сливочного масла, 1 ст. л. сметаны, зелень и соль по вкусу.

Способ приготовления: готовить так же, как щи со свежей капустой, но квашеную капусту следует промыть и отдельно потушить до полной готовности. Капусту добавить в щи в конце варки.

Тефтели, запеченные в сметане, с рисом

Требуется: 120 г мяса, 2 куска белого хлеба, около 0,5 стакана молока, по 50 г сметаны и риса, 1 ч. л. пшеничной муки, 1 ст. л. сливочного масла, пучок зелени, соль по вкусу.

Способ приготовления: мясо нарезать и пропустить 2 раза через мясорубку. Хлеб замочить в молоке, отжать, присоединить к мясному фаршу и вновь пропустить через мясорубку. Из фарша сформовать тефтели, выложить в сковороду. Залить сметаной и запечь. Сварить вязкую рисовую кашу и подать на гарнир. Солить по вкусу. Блюдо заправить растопленным сливочным маслом и посыпать мелко нарезанной зеленью.

Гуляш мясной с рисом

Требуется: 120 г мяса, 50 г сметаны, 1 ст. л. масла, по 1 ч. л. томатной пасты и муки, 1 луковица.

Для гарнира: 50 г риса, 1 ст. л. сливочного масла, 0,5 стакана воды, соль по вкусу.

Способ приготовления: мясо отварить до полуготовности, вынуть из бульона, нарезать кусочками. Залить небольшим количеством воды, добавив мелко нарезанный поджаренный лук, томатную пасту. Тушить под крышкой до готовности, приправить сметаной, соусом.

Соус готовить так: общее количество сметаны разделить на 2 части. Одну часть охладить, смешать с мукой, присоединить к остальному количеству сметаны и довести до кипения. На гарнир подать отварной рис. Для этого рис отварить в двойном количестве воды, откинуть на дуршлаг, заправить маслом.

Рагу мясное с картофелем

Требуется: 120 г мяса, 150 г картофеля, 2 моркови, 1 луковица, 1 ст. л. масла, 1 ст. л. томатной пасты, соль по вкусу.

Способ приготовления: мясо нарезать и отварить до полуготовности. Морковь нарезать и припустить в небольшом количестве бульона с томатной пастой. Лук очистить и мелко нарезать, картофель очистить, нарезать и обжарить с луком.

Отварное мясо, подготовленный лук, морковь и картофель выложить в кастрюлю и потушить под крышкой в небольшом количестве бульона.

Рыба отварная под польским соусом

Требуется: 150—200 г рыбы, половинка луковицы, половинка яйца, 3 клубня картофеля, 1 морковь, 1 ч. л. пшеничной муки, 2 ст. л. рыбного бульона, 1 ч. л. сливочного масла, зелень укропа по вкусу, соль.

Способ приготовления: судака, щуку, карпа, треску или другую рыбу нежирных сортов очистить от чешуи, внутренностей, удалить хвост, голову, плавники. Промыть в холодной воде. Рыбу нарезать кружками толщиной 2 см или разрезать вдоль по хребту. Срезать кости, нарезать кусочками поперек туловища, положить в посуду с водой, добавить мелко нарезанные коренья, репчатый лук, соль и варить под крышкой на медленном огне. Залить соусом (муку прогреть на сковороде, но так, чтобы цвет не изменился, переложить в кастрюлю, развести бульоном, в котором варилась рыба, взбить, чтобы не было комков. Добавить мелко нарубленное сваренное вкрутую яйцо, сливочное масло, перемешать). При подаче к столу к рыбе добавить гарнир из картофельного и морковного пюре, посыпать рубленой зеленью.

Жареная рыба с гречневой кашей

Требуется: 150 г филе рыбы, 50 г гречневой крупы, 2 ст. л. подсолнечного масла, 1 ч. л. муки, 2 ст. л. сметаны, соль по вкусу.

Способ приготовления: филе рыбы нарезать, посолить, обвалять в муке и поджарить на растительном масле. Гречневую крупу обжарить без масла и сварить на воде. Подавать со сметаной.

Картофельная запеканка с творогом

Требуется: 150 г картофеля, 100 г творога, половинка яйца, 0,5 стакана молока, 1 ст. л. сметаны, 1 ст. л. сухарей, пучок зелени, соль по вкусу.

Способ приготовления: приготовить картофельное пюре. Смешать пюре с протертым творогом и яйцом, влить молоко, выложить на смазанную маслом и посыпанную толчеными сухарями сковороду, сверху смазать сметаной и запекать в духовке.

Подавать со сливочным маслом и мелко нарезанной зеленью.

Омлет с ветчиной

Требуется: 2 яйца, 50 г ветчины, 1 ст. л. сливочного масла, 2 ст. л. молока, соль по вкусу.

Способ приготовления: яйца разбить в тарелку, добавить соль, немного молока и хорошо взбить.

Ветчину, колбасу или окорок нарезать лапшой, слегка поджарить на масле, смешать с взбитым яйцом и поместить на 5 мин в духовку.

Готовый омлет свернуть рулетом, положить швом вниз на тарелку. Залить маслом.

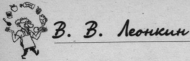

Компот из свежих яблок с ксилитом

Требуется: 100 г яблок, 1,5 ст. л. ксилита, 1,5 стакана воды.

Способ приготовления: яблоки очистить, нарезать дольками и опустить в кипящую воду. Незадолго до окончания варки ввести ксилит, поварить 5 мин, охладить.

Яблочное пюре с ксилитом

Требуется: 150 г яблок, 1 ст. л. ксилита.

Способ приготовления: яблоки очистить, удалить сердцевину, нарезать, отварить в небольшом количестве воды с ксилитом, протереть и выложить в блюдце.

Заключение

Дорогие читатели и читательницы! В своей книге я постарался раскрыть вам, что такое сахарный диабет, по каким признакам его можно опознать. Обратите внимание на профилактические меры этого заболевания (особенно II типа диабета). Если вы уже страдаете этой болезнью, то, используя представленные рецепты, вы сможете питаться более разнообразно, не страдая от резких изменений уровня сахара в крови. Для этого я привел вам схемы индивидуального расчета (например, по хлебным единицам). Особенно вкусные и полезные блюда можно приготовить из морепродуктов с использованием вегетарианских рецептов, так как они содержат меньше углеводов, но по вкусу иногда превосходят обычные продукты. Воспользуйтесь представленными рецептами! Приятного аппетита! Будьте здоровы!

Список литературы

1. М. И. Балаболкин «Эндокринология». — М., 1989.

2. Сайт Kulina.ru. «Поваренная книга кулинарии».

3. «Книга о вкусной и здоровой пище» под ред. О. И. Мурашева. — М., 1953.

4. Л. Ф. Блинов «Домоводство». — М., 1958.

5. М. М. Трифонова «Место эксперимента — кухня». — Саратов, 1991.

6. «Справочник терапевта» под ред. проф. Минского мединститута Г. П. Матвейкова.

7. М. Д. Машковский «Лекарственные средства». — М., 2000.

8. «Справочник практического врача» под ред. А. Н. Воробьева.

9. «Энциклопедия лекарств». Справочник Видаль — 2004 г. Лекарственные препараты России.

10. «Руководство по лечебному питанию детей» под ред. К. С. Ладодо. — М., Медицина.

11. Мазурин А. В. «Питание детей при различных заболеваниях». «Лечение сахарного диабета». — М., 2000.

12. Сайт www.diabethelp.jrg/glindeytable. «Сахарный диабет и здоровое питание».

13. Сайт Русский Лондон Онлайн-магазин «Сахарный диабет» «Употребление сахарозаменителей и спиртных напитков».

14. VEGET.RU/ Рецепты «САЛАТЫ».

15. «Интер-Соя» www.soyka.ru.

Оглавление

Леонкин Владислав Владимирович

ПИТАЙТЕСЬ ПРАВИЛЬНО ПРИ ДИАБЕТЕ

Ответственный редактор *Н. Дубенюк*
Редактор *О. Шевнина*
Художественный редактор *М. Медведь*
Технический редактор *О. Куликова*
Компьютерная верстка *Г. Клочкова*
Корректор *М. Меркулова*

ООО «Издательство «Эксмо»
127299, Москва, ул. Клары Цеткин, д. 18/5. Тел. 411-68-86, 956-39-21.
Home page: **www.eksmo.ru** E-mail: **info@eksmo.ru**

Оптовая торговля книгами «Эксмо»:
ООО «ТД «Эксмо». 142700, Московская обл., Ленинский р-н, г. Видное,
Белокаменное ш., д. 1, многоканальный тел. 411-50-74.
E-mail: **reception@eksmo-sale.ru**

По вопросам приобретения книг «Эксмо» зарубежными оптовыми
покупателями обращаться в отдел зарубежных продаж ООО «ТД «Эксмо»
E-mail: **foreignseller@eksmo-sale.ru**

International Sales: For Foreign wholesale orders, please contact International Sales Department at
foreignseller@eksmo-sale.ru

По вопросам заказа книг «Эксмо» в специальном оформлении
обращаться в отдел корпоративных продаж ООО «ТД «Эксмо» E-mail: **project@eksmo-sale.ru**

Оптовая торговля бумажно-беловыми
и канцелярскими товарами для школы и офиса «Канц-Эксмо»:
Компания «Канц-Эксмо»: 142702, Московская обл., Ленинский р-н, г. Видное-2,
Белокаменное ш., д. 1, а/я 5. Тел./факс +7 (495) 745-28-87 (многоканальный).
e-mail: **kanc@eksmo-sale.ru**, сайт: **www.kanc-eksmo.ru**

Полный ассортимент книг издательства «Эксмо» для оптовых покупателей:
В Санкт-Петербурге: ООО СЗКО, пр-т Обуховской Обороны, д. 84Е. Тел. (812) 365-46-03/04.
В Нижнем Новгороде: ООО ТД «Эксмо НН», ул. Маршала Воронова, д. 3. Тел. (8312) 72-36-70.
В Казани: ООО «НКП Казань», ул. Фрезерная, д. 5. Тел. (843) 570-40-45/46.
В Ростове-на-Дону: ООО «РДЦ-Ростов», пр. Стачки, 243А. Тел. (863) 268-83-59/60.
В Самаре: ООО «РДЦ-Самара», пр-т Кирова, д. 75/1, литера «Е». Тел. (846) 269-66-70.
В Екатеринбурге: ООО «РДЦ-Екатеринбург», ул. Прибалтийская, д. 24а. Тел. (343) 378-49-45.
В Киеве: ООО ДЦ «Эксмо-Украина», ул. Луговая, д. 9. Тел./факс: (044) 537-35-52.
Во Львове: ТП ООО ДЦ «Эксмо-Украина», ул. Бузкова, д. 2. Тел./факс (032) 245-00-19.
В Симферополе: ООО «Эксмо-Крым» ул. Киевская, д. 153. Тел./факс (0652) 22-90-03, 54-32-99.

Мелкооптовая торговля книгами «Эксмо» и канцтоварами «Канц-Эксмо»:
117192, Москва, Мичуринский пр-т, д. 12/1. Тел./факс: (495) 411-50-76.
127254, Москва, ул. Добролюбова, д. 2. Тел.: (495) 745-89-15, 780-58-34.

Полный ассортимент продукции издательства «Эксмо»:
В Москве в сети магазинов «Новый книжный»:
Центральный магазин — Москва, Сухаревская пл., 12. Тел. 937-85-81.
Волгоградский пр-т, д. 78, тел. 177-22-11; ул. Братиславская, д. 12, тел. 346-99-95.
Информация о магазинах «Новый книжный» по тел. 780-58-81.

Подписано в печать 11.07.2007.
Формат 84×108 $^1/_{32}$. Гарнитура «Миниатюра». Печать офсетная.
Бумага тип. Усл. печ. л. 13,44.
Доп. тираж 7100 экз. Заказ № 6554.

Отпечатано в полном соответствии
с качеством предоставленных диапозитивов
в ОАО «Можайский полиграфический комбинат».
143200, г. Можайск, ул. Мира, 93.

ДЛЯ ЗАМЕТОК

ДЛЯ ЗАМЕТОК